Silvia
en el país
de las ranas

Memorias de una revolución

Yraida Pérez Navarro

megustaescribir

Título original: Silvia en el país de las ranas

Fotografía de la biografía realizada por: Roberth Rojas Zambrano.
http://mueblesecologicos.blogspot.com.es

Primera edición: Abril 2015

© 2015, Yraida Pérez Navarro
© 2015, megustaescribir
Ctra. Nacional II, Km 599,7. 08780 Pallejà (Barcelona) España

Esta es una obra de ficción. Cualquier parecido con la realidad es mera coincidencia. Todos los personajes, nombres, hechos, organizaciones y diálogos en esta novela son o bien producto de la imaginación del autor o han sido utilizados en esta obra de manera ficticia.

ISBN: Tapa Blanda   978-8-4163-3907-5
         Libro Electrónico 978-8-4163-3908-2

A Deisy Marcano y Avilia Sáez
ellas saben por qué

Todos iniciamos nuestra andadura como un saco de huesos
perdido en algún lugar del desierto, un esqueleto desmontado,
oculto bajo la arena.
Nuestra misión es recuperar las distintas piezas.
Un proceso muy minucioso que conviene llevar a cabo
cuando las sombras son apropiadas, pues hay que buscar mucho.

Clarissa Pinkola, Mujeres que corren con lobos.

Hay dos clases de juego: uno para uso de caballeros; otro plebeyo,
rastrero, propio para la plebe. La distinción se halla aquí bien expresada;
pero en el fondo, ¡qué vileza hay en esta pasión!

Fedor Dostoievski, El jugador.

El sueño es la pequeña puerta escondida en el más profundo santuario
del alma.

Carl G. Jung, La dinámica de lo inconsciente.

Contenido

En la Isla
(2008-2009)

El paraíso perdido

La Carencia

Yo no sé de pájaros,
no conozco la historia del fuego.
Pero creo que mi soledad debería tener alas.

Recostada en el sofá, al lado de la ventana, lee en voz alta el breve poema de Alejandra Pizarnik que le habla de penuria y desamparo. De las mujeres poetas, la argentina está entre sus preferidas desde que la leyó por primera vez, siendo adolescente. En estado de ensoñación y obedeciendo el mandato de la memoria maquinal, de esa fuerza inconsciente que obliga el resurgir de recuerdos a partir de una palabra, un olor, un sonido, un gesto, un sabor o una imagen; la mente de Silvia se centra en las circunstancias que vive y que le ocasionan estados de desazón cada vez más frecuentes. La cuerda imaginaria que desde hace dos días le inmoviliza el diafragma dificultándole la respiración, se le anuda en el estómago.

Aparta el libro, fija la mirada en la pared de enfrente y silabea en un susurro la palabra ra-cio-na-mien-to. Escudriña entre sus recuerdos alguna experiencia personal del pasado lejano con la que pueda relacionarla. No encuentra ninguna. Lo que sí persiste es la angustia que sufrió, veinticuatro horas antes, recorriendo farmacias en busca de un analgésico para su vecina. Solo después de mucho andar logró que le vendieran cuatro pastillas, «cuatro solamente, no puedo entregarle la caja completa. Esta medicina está racionada».

La prioridad de este día la obliga a darse prisa para estar, cuanto antes, en el supermercado. Le urge comprar aceite de cocina, pues las últimas trazas las vertió sobre la ensalada de lechuga y tomate que preparó para el almuerzo del domingo.

Ella y Marina, su amiga del segundo piso, observaron el desplazamiento del viscoso líquido en forma de delgados hilos, hasta que tres desnutridas y lastimeras gotas cayeron sobre los ávidos vegetales. Ambas rieron al tiempo que decían ¡milagro, milagro!

Después de dos meses de escasez, circulan rumores sobre el cargamento que se espera en el transcurso de la mañana; y al igual que en otras ocasiones, permanecerá en los anaqueles lo que un abrir y cerrar de ojos. Va hasta el cuarto de baño, abre el grifo, siente el potente chorro de agua que le corre entre las manos. Son las ocho y aún no han cortado el suministro, así que debe considerarse afortunada.

Comienza a cumplir con el ritual de arreglo diario antes de salir de casa, que consiste en embadurnarse de protector solar y ataviarse con el equipo de expedición mañanero; compuesto de jeans, zapatos deportivos, gorra, y gafas oscuras.

Se tercia el asa de la cartera en el hombro izquierdo, sale del apartamento y camina hasta entrar en el destartalado ascensor. Oprime el botón de la planta baja. Mientras el aparato desciende dando tumbos contra las paredes, el espejo le devuelve la imagen del rostro veteado de blanco, demostrándole que no ha untado la crema protectora de modo uniforme. Con ambas manos extiende la pomada y aprovechando que no hay nadie, saca el lápiz labial de la cartera. Escribe de prisa encima del reflejo de su cara: Condominio, desidia y corrupción. Al llegar abajo sale en volandas para evitar ser atrapada por las puertas que, debido al deterioro de los foto censores, una vez abiertas, se cierran de nuevo con excesiva rapidez.

«Volví a salvar la vida», dice en voz alta, esperando que alguien la escuche.

En los alrededores del camino hacia el amplio estacionamiento, sobreviven con nobleza los cocoteros y dátiles; no así el bosquecillo de isoras enanas. Los pequeños arbustos, de diminutas flores rosadas, han sido arrancados del borde de la redoma, antes cubierta de brillante grama japonesa. Ahora parece más bien una antipática alfombra marrón, salpicada de vagas manchas amarillentas. La ruina se adueña de la residencia, a pasos agigantados, desde que la nueva junta de condominio tomó posesión tres años antes. Respira agradecida. Se ha disipado el olor a azufre que despide la materia descompuesta y que envolvió los alrededores durante la última semana. Gracias a una ruidosa protesta, convocada por ella, los vecinos, logran llamar la atención de las autoridades del ambiente y al fin hacen las reparaciones necesarias a la planta de tratamiento de aguas negras que desembocan en la sumisa y moribunda laguna contigua. Una vez dentro de su pequeño auto, gira la llave de encendido y espera el tiempo necesario mientras se calienta el motor. *Heme aquí en la isla de la abundancia. ¡La Isla Bonita!, como dijo en cierta ocasión una famosa estrella de Hollywood... Nadie imaginó que aquellas palabras, celebradas por todos, eran mensajeras de malos presagios. Después de tanto contemplar el Caribe desde mi ventana, no puedo evitar preguntarme: ¿Por qué tanta gente, como yo, busca refugio bajo este cielo sin ángeles, donde la delincuencia y la basura son parte del paisaje y el olor a salitre se mezcla con el de las fritangas, diluyéndose en la fetidez que invade el aire? ¿De dónde salió esta legión de perros flacos y enfermos? ¿Por qué no se ven gatos callejeros como sucede en todos nuestros pueblos? La gente sabe que se ha desatado una ola de actos de brujería con la participación de santeros venidos de Cuba y que no solo degüellan pollos sino que hasta crucifican gatos durante sus rituales... La indigencia se reproduce en las aceras, igual que las malas hierbas de los jardines olvidados. Hay avenidas salpicadas de edificios en construcción que han sido abandonados sin terminar... parecen esqueletos expuestos a la inclemencia del sol y de la herrumbre. En contraste, están esas moles residenciales de un lujo obsceno, con fachadas de piedra coralina y a precios inalcanzables. No se sabe quien los compra... a lo peor si se sabe... todos lo sabemos. Mientras los casinos permanecen abarrotados, la Casa de la Cultura está desierta. ¿Acaso quienes vinimos buscando refugio pensamos que el mar haría las veces de barrera protectora de la decadencia?*

Un mundo de caos urbano emerge dentro del marco de la isla.
¿Cuál es la opción para una auto exiliada como yo, que en su
fantasía extemporánea, ideó el paraíso y se encontró de repente
en este purgatorio? Tengo la sensación de que, más allá de mí,
solo existe el vacío. Lo transito en compañía de mi propia sombra.
¿Qué fue de esta Tierra de Gracia?
Deja atrás el Conjunto Residencial Laguna Plateada para llegar,
cuatro minutos después, al supermercado. Repite lo de siempre:
se detiene en el lugar más alejado de la puerta. Así se ve
obligada a caminar, compensando el sedentarismo crónico que
la invade desde que se mudó a La Isla, como si unas bridas
invisibles en los tobillos le frenaran la voluntad de movilizarse.
No han abierto el portón pero ya se ha formado cola en las
afueras del local. Cuenta las cuarenta y ocho personas que la
preceden. Por suerte, el tiempo ya no es esa dimensión capaz
de influir en la rutina diaria de su monótona vida. La única
urgencia es abastecerse de los productos de consumo del hogar
que escasean con demasiada frecuencia. Salir de compras es
la forma de distraerse, aunque también puede ser motivo de
sorpresa e incertidumbre, tal cual sucederá ese día.

Recostada de una columna avista el mar. No exhibe el color
azul intenso y luminoso de siempre; pueden distinguirse franjas
grises debidas a la arena que es arrastrada, desde el fondo,
por el fuerte oleaje. La luz luce empobrecida, velada por la
nubosidad y la calina que tiñen el cielo de un color plata,
opaco y melancólico. Debido a ello, aún se encuentran algunas
almas ejercitándose en el largo camino, situado al borde de la
carretera, entre la playa y la laguna. Por lo general, a esa hora,
la gente huye de la hostilidad del sol abandonando el lugar que
hace las veces de gimnasio al aire libre. El vuelo de las aves
marinas le produce cierta sensación de tranquilidad comparable
con el efecto gratificante de las sesiones domingueras de *Thai*
Chi en el Parque del Este de La Capital. Las clases las dirigía una
menuda mujer taiwanesa de aspecto frágil y pelo negrísimo que
no pasaba del metro y medio de estatura. Crisantemo no era un

ser común, era un hada, un hada de tierra, que Silvia descubrió aquel domingo danzando sola entre los árboles, a semejanza de los pequeños seres de los bosques sagrados. Sentada en la grama, recostada de un tronco, se dispuso a contemplarla absorta en la magia que envolvía aquella escena. Al rato fueron llegando hombres y mujeres de diversas edades. Eran quince, desde el muchacho adolescente hasta la septuagenaria de pelo blanco. Todos se alinearon y después del saludo a la maestra comenzaron a seguirle los pasos. El desplazamiento de los pies eran tan sutiles, tan leves... parecía que no se posaban en el suelo. Tal cual un pájaro en vuelo rasante; las manos, a modo de alas, hacían dibujos rasgando el aire. Al finalizar la sesión y cuando los participantes del grupo se despedían, pudo enterarse de que practicaban Thai Chi, arte marcial centenario, considerado como una forma de meditar a través del movimiento y que no tenía por objeto la competencia con otro. El reto consistía en ser consecuente con la práctica de los pasos y posturas, a fin de ir perfeccionándolos, manteniendo siempre la concentración en el propio cuerpo. «El combate es contigo», le repetía la maestra a cada quien... A partir del domingo siguiente Silvia se unió al grupo. Le resultaban muy gratas las dos horas de práctica al aire libre. Después de terminar la sesión se iba a su casa con una plácida sensación de bienestar.

Crisantemo les decía, en un castellano muy particular, que sus antepasados llegaron a la antigua isla de Formosa, hoy Taiwán, procedentes de la China continental, después del triunfo de la revolución. La sola idea de vivir en un sistema comunista le producía horror. «Antes de someterme a cualquier gobierno represivo prefiero mudarme a Nueva York donde viven mi hija y mi nieto».

Nunca se supo su verdadero nombre. Alguien en alguna oportunidad la bautizó con el de la flor y ella sonrió complacida. El esposo, un chino de elevada estatura iba a buscarla al terminar la clase. Oportunidad que aprovechaban unos pocos compañeros, a quienes les había dado por estudiar mandarín, para aclarar dudas fonéticas; lo cual era para ella motivo de orgullo. Montó su negocio de quincalla de productos chinos en el centro de La Capital. Allí se conseguían preciosos abanicos con dibujos de pavorreales, campanas tibetanas, inciensos, kimonos de seda y hasta vestimentas para la práctica de diversas artes marciales.

Cuando la mujer decidió marcharse a Nueva York el grupo se mantuvo dirigido por el más aventajado de sus seguidores, pero Silvia no volvió más.

El empleado del supermercado abre las puertas y dice:

—Pueden entrar pero sepan que el camión que trae el aceite todavía no ha salido del ferri.

Silvia despierta de su ensimismamiento, respira profundo como si quisiera tomar todo el aire circundante.

Por lo menos tres o cuatro horas más de espera.

Le avisa a un hombre de franela amarilla y gorra marrón, que está detrás de ella, que se ausentará por momentos. Va al auto en busca de un libro. Siempre guarda dos o tres en la guantera para matar el tiempo en situaciones semejantes y que ya se han convertido en rutinarias. Ella los llama *poemarios de emergencia.* Al regresar ve con sorpresa que la cola se ha disuelto. La mayoría opta por sentarse en el suelo constituyendo pequeños y dispersos grupos, todos con el mismo objetivo, comprar aceite. «Cada quien sabe su lugar, usted va entre aquella señora y yo» le dice el hombre de la franela amarilla y gorra marrón refiriéndose a una joven embarazada que, cómodamente asienta su trasero en un liviano y pequeño taburete de material plástico. Obligada por su prominente vientre, mantiene las piernas muy separadas y sostiene sobre la izquierda a un niño muy pequeño. Imitando a los demás, Silvia también decide descansar en el suelo recostándose de la pared y abre el libro, pero solo llega a leer media página, lo cierra para prestar atención a las voces que escucha a su alrededor.

Todos hablan al mismo tiempo, parece que compiten para demostrar quién tiene mayor información sobre los días de abastecimiento de pollo, café o toallas desechables de cocina.

Un hombre da las direcciones de los establecimientos chinos y ubicación de buhoneros que tienen buena cantidad de papel higiénico, pero al triple de su precio.

La mujer embarazada toma del anaquel un paquete de galletas, lo abre con delicadeza y se lo ofrece al niño que ha empezado a chillar mientras se revuelca en el suelo. El empleado le llama la atención; «mi hijo tiene hambre y la culpa de la escasez no es mía». Se alzan voces de apoyo a la mujer. El dependiente mira hacia otro lado y sigue su camino. La jovencita que acompaña a una anciana obesa, a quien llama abuela, está concentrada en pintarse las uñas con esmalte violeta oscuro, luego sacude las manos para acelerar el secado de la pintura. La gente se divierte en aquella cola de espera que a Silvia le resulta humillante.

A las dos de la tarde es recibida con gran algarabía la noticia del arribo de la carga. Cuatro fornidos hombres bajan con destreza las cajas que apilan encima de una carrucha acercándola al impaciente grupo.

«Sin desorden, hagan la cola, si no se organizan no hay venta, sólo dos por persona». En ese momento tres agentes militares armados se acercan al grupo, con los fusiles apuntado al suelo y mostrando severo gesto de advertencia que haría desistir a cualquiera de algún posible intento de irrespetar el turno en la fila. El teniente está molesto, «El que pretenda colearse se me va... lo saco y no compra un carajo. Tienen que aprender a respetar...»

La gente busca su acomodo. Hay familias completas: Si es de cuatro miembros obtendrán ocho botellas. Es una forma de burlar el control y mantener buena provisión en casa. Los que más se ven afectados con el racionamiento son los vendedores de comida en los kioscos de la playa. Estos, además de incorporar a toda la familia, entregan las botellas a alguien que espera afuera y se vuelven a sumar a la hilera. La revolución no ha encontrado la manera de evitarlo. Se comenta que entre los planes futuros del gobierno está el de asignar libretas de racionamiento para cada familia, o llevar un registro de las huellas digitales de los usuarios para controlar el número de veces que la persona compra determinado producto. Hasta ahora los grandes restaurantes no sufren la escasez. De alguna manera se las ingenian para conseguir los insumos.

La cola empieza a moverse, mientras lleva la cuenta: cuarenta y siete, cuarenta y seis, cuarenta y cinco personas que faltan para que llegue su turno. Finalmente recibe las dos botellas y se va. Cuando pasa por el estante de las frutas las coloca sobre el anaquel, acaricia una manzana y se siente tentada ante el fruto prohibido que en apenas quince días ha triplicado el precio. *Si sólo se tratara de desobedecer el mandato de Dios. Al fin y al cabo ya otra mujer lo hizo antes que yo... pero... no puedo desobedecer mi bolsillo. O compro aceite o manzanas socialistas.* Toma de nuevo los envases y se dirige a la caja. Cuando realiza el pago, la empleada le advierte que las bolsas se han agotado. Sale abrazando los frascos de aceite con el mismo cuidado que a dos niños recién nacidos. En la acera frente al local ve el perfil de una mujer que se desplaza lentamente hacia la boca calle en dirección al semáforo de la avenida Bolívar. No tiene duda, es Rebeca, con su caminar inconfundible. Estaba residenciada en La Isla desde que se mudó de la capital.

Deja las botellas de aceite dentro del auto y cruza la calle sorteando los carros que se desplazan a toda velocidad y sin preocuparse por ceder paso a los peatones. Se incorpora en la acera y llama.

—¡Rebeca!

Silvia apura el paso para acercarse más.

—Rebeca Aray, como me alegra verte, después de tantos años. ¿Qué ha sido de ti?— Dice con deseos de abrazarla, presionándole el hombro con intención de detenerla.

La mujer avanza haciendo movimientos para zafarse, mientras voltea el rostro viendo de reojo a la persona que siente detrás de ella.

— Soy yo, Silvia, ¿Qué te pasa? ¿No me reconoces?

—No— balbucea, desprendiéndose de la mano que le invade el hombro.

Se aleja casi corriendo y levantando ambos brazos hace señas a un taxi que se acerca. Al detenerse, sube de prisa al automóvil y desaparece otra vez, igual que años antes... pero ahora, ante la perpleja mirada de la amiga.

Tambaleando vuelve sobre sus propios pasos, toma el celular y con dedos temblorosos marca un número. Al recibir respuesta exclama con voz altisonante, asegurándose de que es escuchada desde el otro lado.

—¿Marina? Acabo de ver a Rebeca, lo juro.

—¿Qué? ¿No será un fantasma?— Le contesta una voz pastosa y aletargada.

— Por lo que oigo puedo deducir que aún dormías—dice Silvia.

—Sí, mi noche se prolongó, Alejandro estuvo aquí hasta el amanecer. Su esposa está en La Capital. ¿Cómo es eso de que viste a Rebeca? Yo creo que estás alucinando.

—La vi, la vi frente al supermercado, era ella. El modo de caminar de Rebeca no lo tiene todo el mundo. Está un poco más delgada, pero era ella. Huyó de mí como si no me conociera.

—¿Me compraste el aceite?— Pregunta la amiga. Sin darle importancia al supuesto encuentro de Silvia con la vieja compañera.

—Sí, lo compré. Espérame.

Al regreso, excitada aún por el encuentro con Rebeca, sube al piso de su vecina y le entrega una de las botellas de aceite.

—Economízalo, no sabemos cuándo vuelve. Marina toma el frasco con la mano izquierda. En la derecha sostiene una cerveza.

—Esto es para quitarme la resaca. Anoche tomé demasiado— dice, levantando con gesto de triunfo el envase.

—Después te quejas del dolor de cabeza y tengo yo que salir a recorrer la isla para conseguir un calmante. ¿No me crees lo de Rebeca?

—Si te creo, pero me cuesta entender por qué no te saludó. Si en verdad era ella debe estar loca.

Marina ha amoblado el apartamento con enseres heredados de su joven hijo publicista, fallecido prematuramente a consecuencia de un atraco para robarle el automóvil. Hizo resistencia y lo eliminaron de tres disparos. De él conserva dos sobrios sofás grises, uno frente al otro, recostados de las paredes, donde cuelgan varias serigrafías abstractas. En la mesa de centro, de cristal biselado y forma rectangular, semejante a la exhibición de un bazar, hay decenas de miniaturas de vidrio y loza que ella ha ido adquiriendo con el tiempo, sin sentido del límite y sobre las cuales se acumulan minúsculas motas de polvo. Hay familias de osos panda, perritos poodles, gatitos, jirafas con su cría, pingüinos trepados en un diminuto bloque de fibra de vidrio, también renos y delfines. En una esquina sonríen las figuras de Peter Pan y Campanita; en otra la solitaria Hello Kitty mira a los siete enanos de Blanca Nieves, que con sus instrumentos de labranza la ignoran desde otro costado. En el cuarto ángulo hay un juego de damas y otro de ludo, igualmente pequeños. La puerta del refrigerador está repleta de calcomanías amarillas con caritas sonrientes. Más allá, colgando del techo, no se puede ignorar el móvil colgante, también formado de círculos plásticos amarillos con las mismas caritas. En la pequeña mesa, apretujada entre la lámpara de pie y el tiesto, donde crece un ficus, está el acuario con seis pececitos dorados. Silvia fantasea con aquella exhibición y evocando el cuento del cascanueces imagina a las figuritas dotadas de vida. Pero va más allá.

—¿Te imaginas si estos muñequitos adquirieran vida? Seguro te llevan en peso hasta la jardinera y cerrando las ventanas te confinarían a permanecer allí hasta que prometieras liberarlas del hacinamiento—dice.

—Lo sé. Mi hogar es el de una niña que no creció. Alejandro se molesta porque tropieza con todo. Le dije que esta era mi casa de muñecas. Luego, frunciendo el ceño agrega:

—Y si le disgusta, prefiero que no venga más.

Sin dejar de beber, Marina abre una gaveta y hurga en ella. Un ruido seco proveniente del aparato de aire acondicionado indica que hay corte de electricidad. Al poco tiempo la casa se convertirá en un horno caliente. Muy cerca del espejo y aprovechando la luminosidad de la tarde se acicala. Ataviada con pantalón de licra negra, ceñida franela verde y sandalias de plástico brillante, también verdes, se despide casi gritando.

—Adiós Silvia, me voy al casino. Allí disponen de sus propias plantas eléctricas y podré disfrutar de aire fresco. Cierra bien la puerta cuando salgas. ¿Vienes?

Silvia mueve la cabeza a ambos lados en un gesto negativo y responde:

—No tengo dinero. Espero que ganes mucho.

Hala la puerta y sube despacio las seis escaleras hasta su casa. Comienza a hacerlo lentamente; tratando de acompasar el ascenso con su aliento. Al asentar el pie izquierdo inspira, exhalando el aire cuando le corresponde al derecho, para luego invertir el orden. Eso de concentrarse en la respiración lo había aprendido en las clases de Thai chi. Era, según las recomendaciones de Crisantemo, el mejor recurso para alcanzar la quietud. A medida que asciende empieza a percibir un olor a materia fermentada, a fruta podrida, que emana de los cuartos de basura. Acelera el paso y sube los escalones de dos en dos. *Mañana me quejaré ante la administración, diré que los voy a denunciar ante el departamento de sanidad de la alcaldía si no resuelven el problema, me responderán que hubo una obstrucción en algún ducto, que ya se está trabajando sobre eso y allí terminará todo, hasta quince días después cuando se repita la misma escena.*

Guarda el aceite e intenta relajarse. Abre los grandes ventanales y se recuesta en el sofá. El bochorno la arropa, parece un velo invisible que se le adhiere a la piel y no puede desprender con el vaivén del viejo periódico que utiliza a manera de improvisado abanico.

No tengo alternativa. Es mi destino vegetar en este húmedo calor tal cual un repulsivo moho verde...

Piensa en Rebeca y en la razón de su huida o en la sin razón de su mente.

¿Estará loca? ¿No me reconoció, o no quiso hacer contacto conmigo? Era ella, estoy segura.

Cree estar en lo cierto. La identificó por su peculiar forma de caminar. Rozando entre sí la zona lateral de las rodillas en cada paso, igual que hacen las modelos al colocar un pie delante del otro, para luego avanzar con el que ha quedado atrás. Los compañeros de secundaria la apodaban el péndulo, aludiendo al balanceo rítmico de las caderas. Su andar lucía natural y le daba un aire de sensual elegancia.

Tiene muy presente que cuando aún vivía en La Capital, hubo gran revuelo por la desaparición de la amiga y se tejieron diversas leyendas en torno a su misterioso destino. En esa época visitó a Magda, la gemela, pero no obtuvo mayor información, le dijo que quien la vio por última vez fue el conserje del edificio. «Salió cerca de la hora del almuerzo... Siempre me opuse a que se fuera a vivir a La Isla, lejos de la familia». Le preguntó si no recurriría a sus influencias políticas y la hermana le contó que habían movido cielo y tierra pero que no lograron saber nada, que las autoridades no supieron aclarar lo sucedido.

Hubo rumores de que fue víctima de una venganza. Rebeca estaba residenciada en el apartamento vacacional de su hermano que había sido ministro del gobierno, previo al triunfo del socialismo y estuvo incurso en casos de corrupción. No faltó quien hablara sobre la adicción de la desaparecida a las máquinas tragamonedas y a la ruleta, llegando a adquirir deudas imposibles de pagar. La presión de los prestamistas le desencadenó tal angustia que decidió suicidarse. Nada de esto se pudo comprobar. Nunca más se supo de ella ni se encontró su cadáver. Con el tiempo todos se acostumbraron a la idea de que, como todo, Rebeca tuvo un fin. Igual que el punto colocado al lado de la palabra, después del cual nadie escribe nada. Pero ese día, Silvia puede jurar que la ha visto.

¿Dónde está mi plata?

Cuando se radicó en La Isla, juró que no compraría ni un libro más en lo que le quedara de vida, le bastaba con releer los que ya había adquirido. Sin embargo, incumple el juramento. Esos adictivos objetos, como les llama, han ido invadiendo los espacios, buscando acomodo en cualquier rendija libre de su minúscula vivienda. Enciende el aire acondicionado y se dispone a ordenar la pequeña biblioteca. La promesa que sí cumple es la de no adoptar una nueva mascota. Compartió veinte años con Anastasia, una gata rescatada al poco tiempo de nacida, del estacionamiento del edificio donde vivía en La Capital y que murió virgen. Tanto ella, como sus hijos Álvaro y Beatriz, compadecidos de la pobre huérfana abandonada, la convirtieron en un miembro más del hogar. La minina percibió su importancia en la casa permitiéndose toda clase de malacrianzas. Después de una reprimenda buscaba un escondite para volver, transcurrido el tiempo, a orinarse sobre las alfombras. No había manera de influir en su proceso de aprendizaje, de modo que estableciera relación entre la necesidad de vaciar la vejiga y la caja de arena, adonde era llevada con urgencia por quien la sorprendiera en una postura delatora. Sin embargo se puede decir, en favor de la felina, que era muy juiciosa en cuanto a sus desahogos no fluidos. Con sigiloso caminar iba hasta el lujoso retrete, o arenero perfumado, para desocupar los intestinos. Luego arrastraba arena con la pata hasta cubrir los desechos. Se cree que este comportamiento de los gatos se debe a una reminiscencia de los ancestros salvajes; ocultan las evidencias delatoras para no dejar rastros de su presencia ante posibles depredadores o probables presas. Después de dar saltitos salía en veloz carrera de satisfacción hasta cualquier rincón donde buscar acomodo.

Tomando en cuenta que los tapetes malolientes eran la fuente de tanto incordio, Silvia decidió deshacerse de ellos. Entonces, ayudada por Álvaro los dejó en la acera frente al edificio. Asomada a la ventana observó que desde un taxi se bajaba el chofer y los introducía en la maleta de su auto, «ya veré que uso les doy». Al desaparecer las alfombras, para sorpresa de la familia, la gata hizo todas las necesidades, hasta el fin de sus días, en la caja destinada a tales urgencias.

Mientras continúa con el arreglo de los libros, mantiene la televisión encendida. Espera un programa de opinión que le interesa. Además, las voces de fondo le sirven para atenuar la soledad, dándole sensación de compañía. La voz femenina es interrumpida de pronto por unas notas musicales subidas de volumen, iguales a las que acompañan las escenas de las películas de misterio. Escucha el comunicado extraordinario narrado por otro locutor «... las principales razones de esta intervención son la poca disposición para subsanar con los recursos propios los problemas de liquidez y el deseo de salvaguardar los ahorros de los clientes del banco, señaló por su parte el director de la Superintendencia de Bancos»

Sobresaltada, suelta el paño con el que ha estado sacudiendo el polvo.

¿Intervenido el banco? ¿Qué pasará con mis ahorros? No se trata de cualquier banco... Allí es donde tengo lo poco que me queda.

Se imagina de pronto convertida en una mendiga vagando por el mundo con todas sus pertenencias a cuestas, acompañada de varios perros flacuchentos que le gruñen a todo lo que se aproxime.

Levantándose de un salto busca la carpeta donde había escrito la palabra certificado en bolígrafo negro. Sujeto con un gancho ve el documento de participación bancaria. Los intereses del flaco capital le han servido para complementar sus gastos y darse alguna vuelta por los casinos. Sin poder controlar la ansiedad de comunicarse con alguien para contarle lo sucedido hace una llamada...No obtiene respuesta.

Beatriz verá el número en la pantalla y como suele hacer últimamente, lo dejará en ese limbo a donde van a parar las llamadas perdidas. No me responderá, le fastidia escucharme. Enciende el ordenador y comienza a teclear con prisa.

Querida prima:

Hoy si es verdad que estoy de manicomio. Por menos que esto han ingresado a mucha gente en una clínica de reposo con el diagnóstico de crisis de ansiedad. Lo veo a cada rato reseñado en la televisión española, refiriéndose a famosas del mundo de la farándula. No es mi caso, por lo tanto debo permanecer ingresada, pero en mi propio apartamento, y sin asistencia médica, soportando este peso en el pecho que me corta el aliento. Y ante la falta de atención psiquiátrica recurro a ti, querida. La razón de mi inquietud se debe a que el banco donde tenía guardados mis ahorros fue intervenido por el Estado. Ya me veo pidiendo limosna, o disociada como Trudy, La Señora de las Bolsas. Aquel personaje de la comedia de teatro La Búsqueda de Signos de Vida Inteligente en el Universo, que andaba deambulando por las calles de Nueva York, con toda clase de cosas inútiles a cuestas; y hasta llegó a decir «perder la cabeza puede ser una experiencia máxima». Pero no te preocupes aún conservo la cordura.

Detrás de la susodicha intervención está alguna mano peluda, o peor aún, una bota pesada que pretende aplastar al dueño del banco, quien también es el mayor accionista de un medio de comunicación. Cada vez lanzan una medida nueva que afecta nuestra calidad de vida. Creo que nos estamos habituando a estos acontecimientos. Igual a la rana que se tira en una olla de agua, si el líquido es calentado a fuego lento, el bicho no reacciona y muere sancochado. ¿Pretenderán convertirnos en una población de ranas hervidas? A otra cosa: Te alegrará saber que ya no debes preocuparte tanto por mi aislamiento. Me he hecho amiga de la vecina del segundo piso. Por esas casualidades de la vida también conoció a Rebeca, mi compañera de la secundaria, la que desapareció hace tiempo sin dejar rastros en La Isla. Pues bien, Rebeca y mi nueva amiga Marina, fueron compañeras, no precisamente de estudios sino de casino; allí se veían con mucha frecuencia. Emigró también de La Capital. Es divorciada, como yo, perdió un hijo y tiene otro de treinta y tres años que es guitarrista de una banda de rock. El muchacho le da todo para vivir, ella nunca ha trabajado y no tiene donde caerse muerta. Mantiene una relación de amor aventura desde hace quince años con un hombre casado. Se ven dos veces por semana, cuando supuestamente a él le toca ir al gimnasio y como está jubilado, su buena mujer se ocupa de recordarle la puntual asistencia por el bien de su salud. La pobre no sabe el tipo de gimnasia que practica el marido.

Después de todo lo que he vivido, que no es precisamente el cuento de La Bella Durmiente... o sí, pero en mi historia se muere el príncipe... Esta compañía me viene como anillo al dedo. Marina es de esas personas que no se deprimen, no le da importancia a nada y se proclama absolutamente feliz. Aunque dudo de su sinceridad porque estoy segura de que miente cuando afirma que Alejandro responde a sus encantos, que no son tales; sin ayuda de la pastillita azul. Te repito, no le creo porque el hombre está rondando los setenta y además es poseedor de un importante vientre. Tu sabes... esas cosas influyen cuando es preciso vencer la fuerza de la gravedad a la hora de hacer el amor. Con semejantes obstáculos (edad y grasa en la barriga) no hay dignidad que se mantenga erguida. Mi amiga, se viste de manera estrafalaria, y cuando va a la playa usa biquinis mínimos. Su aspecto con estas prendas es grotesco para mi gusto, pero ella se pasea sin complejos, no le da importancia a la flojedad de sus carnes. Me pregunto si no será mi alter ego. Si no es que representa mi otro yo, mi parte velada y por eso se da esta amistad. ¡Ah!, y nunca lee ni los menús de los restoranes. Equivalente a decir que carece de interés por mantenerse informada sobre temas relacionados con la política o la situación económica que tanto nos mortifica a todos. Vive con los pies en el aire pero no sé por cual extraña razón me siento bien a su lado. Con Marina he recorrido el mundo de los casinos que aquí abundan como peces en el mar.

Mientras escribo mantengo la tele prendida por si dan alguna información sobre el banco. No pierdo las esperanzas de recuperar mi pequeño capital.

Recibe este poema y un gran beso de tu prima.

No lo creerás, en el largo tiempo que lleva Beatriz en Europa me ha llamado en contadas ocasiones. No olvida hacerlo el día de la madre o el de año nuevo, pero nada más. Yo la llamo y le escribo con frecuencia; a veces ni me responde. Supondrás entonces quién es la musa que inspiró el poema.

Quién soy

*Un puzle de piezas flojas
Cuando me desplazo suelto
pedazos
De vez en cuando recojo alguno
No puedo encajarlo
Lo dejo allí en el camino
por si alguien me recuerda*

Y los sueños, sueños son

Abajo cadenas/ Abajo cadenas...
Se ha dormido sin percatarse de que el televisor está encendido. A las seis de la mañana se despierta sobresaltada con los versos, cantados por un coro, del himno nacional; anuncian el comienzo de la programación diaria. Rememora el pasado lejano.
Cuando era niña, diariamente y a primera hora, sonaba por los parlantes de la escuela para avisar el inicio de las clases. Se oía en todos los espacios: En la cantina, en los baños, en el patio de recreo y hasta en la puerta de entrada al colegio. Escucharlo y detenerse en el sitio en que se encontrara, constituían un solo acto. En cierta ocasión recibió la amonestación de la señorita Ana, su maestra de segundo grado, por quedarse sentada coloreando un dibujo... «Silvia: el himno se escucha de pie». La niña sintió vergüenza por su falta de atención. Y es que la melodía patriótica se la sembró su madre, como algo sacrosanto. La silbaba de principio a fin, gracias a la habilidad transmitida por el abuelo, nativo de las Islas Canarias. Un verdadero maestro del silbido. El himno era parte del repertorio de nanas nocturnas que le interpretaba para inducirla al sueño.
Si resucitara ahora, regresaría a su tumba al comprobar que este comandante ha hecho con la patria lo mismo que yo con las alfombras meadas por Anastasia.
Toma el control remoto de la televisión lo retiene en la mano derecha mientras desliza el dedo pulgar por los comandos de forma maquinal y sintoniza un canal extranjero. Sin mirar la pantalla ni prestar atención a la voz emitida por el aparato se hunde en el letargo.
La diminuta lámpara permanece encendida; y regados en la superficie de la mesa de noche, reposan cinco papeles dorados que cubrieron las desnudeces de los chocolates devorados antes

de dormirse, mientras releía *El Libro de Las Poéticas*. Esperaba el fin de la cadena televisada del comandante para escuchar las noticias de las diez. Al amanecer se da cuenta de que el ansiolítico que le dio Marina, al saberla tan angustiada, hizo su efecto demasiado pronto.

Recuerda con rabia la brevedad de la información sobre el cierre del banco. No obstante permanecen en su mente las imágenes del sueño interrumpidas por las notas del himno. No soñó con quiebras o ruinas. Tampoco con Rebeca. No lleva la cuenta, pero soñar que es una adolescente se está haciendo habitual. Lo frustrante es cuando la vigilia le avisa que habita el mismo cuerpo de siempre; cundido de flacidez y celulitis.

¿Puede el actor representar una obra en el escenario y a la vez permanecer sentado entre el público viéndose actuar? Es lo que Silvia vive dentro de su sueño. Desde un mundo paralelo se observa a sí misma brotar de la nada, convertida en la bella joven que había sido. No solo se mira, también siente el furor de la pasión por el muchacho recién conocido y que, deslumbrado, corresponde a su amor. La Silvia observadora, ya acercándose a los sesenta, y la muy joven intérprete desconocen el cómo y el por qué ocurre la metamorfosis. Sin embargo, callan. Saben que el horror de descubrir que dentro de la envoltura de una jovencita se oculta un cuerpo casi cuarenta años mayor provocará la huída del joven.

«Los muchachos no se enamoran de mujeres viejas», le repite una voz interna en el último episodio de la noche anterior. La invade el pánico, tose intentando aliviar la aridez de la garganta. La frecuencia de los latidos del corazón la obligan a incorporarse en la cama buscando el aliento. Se siente asfixiada. Entonces comienza a prestar atención, sobre todo por la frecuencia del mismo sueño en el que, con sus variantes, es la observadora de ella misma, siempre joven. Atribuye la experiencia de esa noche a la frustración de no haber podido establecer contacto con Rebeca, a la angustia de enterarse del secuestro de sus ahorros y a la indiferencia de su hija. Motivos suficientes para que desde algún pozo de la imaginación, independiente de su conciencia, y en un intento redentor, surgiera el alivio a través de un sueño que la regresa a la juventud. O tal vez, por determinado mecanismo defensivo, desaparece todo lo vivido en su vida adulta e igual que ocurre en ciertas películas de ficción, viaja a través del tiempo para rectificar y hacer más grato su reciente y doloroso pasado. Pero todo acto evasivo tiene su costo y debe pagarlo con la misma frustración y angustia de la cual, de forma involuntaria, pretende evadirse. Se queda echada, invadida por un sentimiento de soledad pétrea que parte del obligo y se extiende por todo el cuerpo. Tiene la sensación de que le han arrojado encima una cobija de plomo. Las imágenes se confunden en su mente con el recuerdo de la noticia que anunciaba la intervención del banco y con el de la cadena de radio y televisión de la noche. El comandante, reunido con sus ministros, contaba, que las benditas manos de su difunta abuela preparaban «aquel glorioso dulce con recortes muy finos de lechosa verde. Se cocinaban en almíbar de papelón y quedaban igualitos a las paticas de una araña. Siendo niño y calzando mis humildes alpargatas vendí esos dulces por las polvorientas calles del pueblo de Sabaneta». Los ministros sonreían complacidos. Después del relato, el militar entonó una canción ranchera. Cuando, engolando la voz, cantó **Pero Sigo Siendo el Rey**, Silvia sintió la urgente necesidad de tomar el sedante.

Siempre estuvo interesada en el brumoso mundo onírico. En La Capital, se inscribió en un taller de análisis de sueños. Las charlas las dictaba un reconocido profesor y psiquiatra.

El día que comenzó el taller llegó con algo de retraso a la casa que servía de sede al Instituto. Subió al salón de clases y tocó la puerta que abrió una mujer de edad madura. El salón era amplio, en el centro vio una mesa ovalada alrededor de la cual se distribuían las compañeras del curso. Disculpándose por la tardanza se sentó en la única silla vacía para escuchar las presentaciones que hacían las participantes. Cuando le tocó hablar, miró a las personas que conformaban el grupo. «Me llamo Silvia Montes, soy antropóloga y divorciada, ¿Alguien sabe por qué en este grupo de catorce mujeres no hay ningún hombre? ¿Es que no sueñan?». Un coro de discretas risas fue la respuesta.

Solo asistió a algunas discusiones, Tuvo que retirarse antes del final porque esos días coincidieron con la absurda muerte de su hijo Álvaro.

Su mayor interés, cuando comenzó el taller, era indagar sobre el sueño con un mar que la aterrorizaba. El primero lo tuvo rondando los veinte años, se repitió durante largo tiempo con relativa frecuencia. El último, lo recuerda con exactitud: Era perseguida por aquella inmensa y pavorosa ola que la arrastró hasta el fondo dejándola sumida en la total oscuridad. Curiosamente el miedo del principio fue sustituido por un sentimiento placentero de seguridad: Flotaba en las profundidades del mar, mecida por el suave vaivén, envuelta en una sensación de paz y protección. Placentera experiencia que suele evocar y piensa que puede ser el ensayo de la muerte. «¿O sería?» Como le comentó la amiga de Beatriz, «el deseo oculto de regresar al vientre materno».

Ahora que vive en La Isla, rodeada de ese mar que puede contemplar desde las ventanas de su casa, se siente agradecida porque las perseguidoras olas de los sueños se han esfumado. *Eso de ser tragada por el agua, sufrir un ataque de pánico, perder la conciencia del tiempo y despertar completamente seca para darme cuenta de que he sido víctima de una mala jugada de mi propio cerebro, no es nada divertido.*

Desea tanto una cadena nacional de radio, y televisión, de esas en las que suele salir el presidente, que explique a los ahorristas el destino de sus fondos. Pero el silencio informativo le produce escalofríos. Los medios audiovisuales repiten continuamente la misma noticia y corren todo tipo de rumores. Llama al banco pero la respuesta es: «Estamos esperando instrucciones, por los momentos permanecemos sin actividades».

Tengo que levantarme, dice saltando de la cama. Prolonga el tiempo bajo la ducha. Frente al espejo, hace muecas, entre burlona y resignada. Observa con detenimiento el color que ha ido adquiriendo su rostro en los últimos tiempos y que ella compara con una fotografía virada a sepia. Se pellizca y da ligeras palmadas en las mejillas luego, apoyando las manos a cada lado de las orejas estira la piel, sintiendo gusto por el fugaz efecto de juventud que le devuelve el reflejo. Después de aflojar la tensión, la flacidez recupera su dominio.

Parezco un acordeón... No hay potingue que valga.

Haciendo un gesto de aceptación se viste y, con los documentos que certifican su depósito a plazos, sale rumbo al banco. Le dicen que tendrá que esperar algún tiempo, el cual no determinan, para el reembolso del dinero.

No son momentos de reclamar respuestas precisas. Debo aprender a invocar la paciencia de Job para sobrellevar la escasez y la incertidumbre.

Así fue en La Capital
(2003-2006)

El por qué del hoy

Entre risas, Silvia solía repetirle a sus hijos que pertenecían a una familia «mono marental» puesto que ella, como madre, era quien los había guiado; vista desde lejos y de vez en cuando por el padre.

El grupo familiar compuesto de cuatro miembros: Silvia, Álvaro, Beatriz y Anastasia, la gata adoptada, sufrió, al igual que todos los que no se integraron a sus filas, los embates de la revolución. Álvaro desempeñaba el cargo de creativo de una compañía de publicidad que dejó de ser próspera. Debido al cierre de fábricas y a la desaparición de marcas, las cuentas publicitarias habían mermado; la empresa se vio afectada y la inminente reducción de personal arrastró a los profesionales de menor experiencia. Durante tres meses se dedicó a la imposible misión de conseguir empleo. La oferta del tío Rafael, desde Miami, resultó muy oportuna y le pareció una buena opción trabajar en su pequeña agencia publicitaria.

El caso de Beatriz fue diferente. Después de graduarse en el Instituto de Diseño comenzó a trabajar en el Departamento de Escenografía de El Teatro. Formaba parte del equipo que hacía el montaje de los escenarios para las obras programadas. Después del éxito de una presentación, recién cumplidos dos años en el cargo, fue llamada por el gerente de Recursos Humanos del Ministerio Popular para la Cultura. La felicitó por su rendimiento profesional, le habló sobre la importancia de su incorporación a la revolución y de su deseo de sentirla más participativa en las actividades que apoyaban al comandante. «Quiero verla formando parte de la legión de hombres y mujeres jóvenes que construirán la patria nueva». La citó para el sábado en la mañana a un «conversatorio» con el camarada Ospina. La idea era «debatir sobre los cambios necesarios para erradicar, de una vez por todas, la exclusión social, propia de los sistemas capitalistas)). La muchacha le respondió que los fines de semana los ocupaba en trabajos particulares porque los ingresos de su familia no eran suficientes para los gastos del mes. El funcionario ofreció de inmediato aumentarle el sueldo. Beatriz no fue a la reunión y a la semana siguiente le llegó un memorándum en el que prescindían de sus servicios.

Después de finalizar la carrera de antropología, Silvia se dedicó a dar clases en diversos institutos de secundaria. Al culminar sus estudios de post grado ocupó el cargo de jefe del Departamento de Etnografía de El Museo. Teniendo quince años de servicios, también quedó fuera de la nómina, sin ninguna explicación. Su cargo fue adjudicado a un miembro del partido.

Anastasia fue la menos afectada. A veces había alimentos para gatos, otras no, pero era de buen comer y no rechazaba el pienso para perros que proveía algún vecino en caso de emergencia, ni los recortes de mollejas de pollo que el carnicero le guardaba a su ama de vez en cuando.Los ahorros familiares disminuían. La única entrada fija era la que recibían por el alquiler del apartamento de La Candelaria, producto de la partición de bienes al romperse el matrimonio Angeli Montes.

Los diferentes ropajes de seducción que mostró el profesor Lucciano Angeli hicieron el efecto de un hechizo en la fantasiosa y joven estudiante de antropología que era Silvia. Él daba clases de diseño en la facultad de arquitectura y venía de regreso de un matrimonio desastroso. Al graduarse ella, se casaron. Nada mejor que la convivencia para liberar los demonios que subyacían en el alma del profesor. Irascibilidad y súbitos cambios de humor eran los principales elementos del carácter del marido, además de la pasiva agresividad que manifestaba con soterradas descalificaciones.

No era ella, a pesar de su juventud, lo suficientemente maleable para habituarse al maltrato continuado. El hijo llegó como uno de esos remiendos que suelen hacer las parejas cuando ven que la relación se deshilacha. Ciertamente se produjo una tregua en la conflictiva unión y al año siguiente ocurrió el nacimiento de Beatriz. Aunque el amor se apagaba, igual que se extingue la llama de una vela privada de oxígeno, Silvia intentó salvar el matrimonio. No tenía ínfulas de heroína y se necesitaba considerable dosis de valor para tomar la decisión de enfrentar la vida sola, con dos hijos pequeños. Fueron vanos los esfuerzos que hizo para perforar la aislante coraza que la separaba del mundo afectivo de su marido. Ante cualquier intento de acercamiento respondía con el silencio o con un «mejor me voy a la calle, en esta casa no hay paz». Otras veces pretendía hacer de gracioso utilizando frases mordaces y vacías que tanto la molestaban «estás hablando mucho para el tiempo que nos conocemos».

El esposo era amante de la buena mesa y en estos menesteres su segunda mujer no obtuvo calificaciones sobresalientes. De niño era enfermizo y su crianza se llevó a cabo bajo el control sobre protector de la madre, preocupada en exceso por la alimentación del hijo. Según contaba ella, era tan caprichoso, que todos sus almuerzos debían ser aderezados con pesto; salsa hecha a base de albahaca, ajo, piñones, queso y aceite de oliva. Si no se cumplían estas exigencias, el pequeño no tocaba el plato. La costumbre la mantuvo hasta que se hizo adolescente y comenzó a pasar tiempo fuera de casa con los amigos.

En uno de los tantos intentos por atenuar la distancia que se agrandaba entre ambos, Silvia decidió sorprenderlo. Le anunció el menú para el almuerzo de ese sábado en el momento en que él salía hacia el electro auto a revisar una falla del automóvil. Fue al supermercado, revolvió el frío anaquel donde estaba la albahaca y seleccionó las hojas por su perfume y frescura. Se hizo de un costoso envase de piñones, ocupándose además de seleccionar ajos muy pequeños que, según la conseja popular, eran los más aromáticos y gustosos. En el tramo de las pastas de mejor calidad se decidió por las de tipo cortas y rizadas, de unos tres centímetros de longitud. Sosteniendo el teléfono entre el hombro y el pabellón de la oreja siguió, al pie de la letra, las instrucciones de su suegra Venere. No quiso utilizar el procesador de alimentos sino que, tal como lo habrían hecho las abuelas, machacó los ingredientes en un mortero. Quería sorprender a su marido con la auténtica salsa genovesa. Vistió la mesa con un mantel de hilo blanco. Dentro de la cesta de mimbre, colocada en el centro, reposaban los tibios trozos de pan «campesino». Delante de cada plato puso las escudillas donde hacían contraste los diferentes y brillantes colores de la ensalada de vegetales.

Sentado frente al plato de pasta recién cocida y cubierta con la espesa capa del lustroso adobo, Lucciano tomó la botella de vino y le sirvió a Silvia. Luego llenó su copa hasta la mitad y la meneó dos veces, teniendo cuidado de que el líquido bañara las paredes del cristal. La acercó a la nariz y percibió el aroma entrecerrando los ojos, tomó un sorbo que distribuyó por toda la boca simulando que lo masticaba con deleite. Volvió a poner la copa sobre la mesa y revolvió la pasta lentamente hasta que, con movimientos estereotipados, distribuyó el verde aderezo de manera uniforme. El ambiente se impregnó del sugerente y embriagador aroma.

A la mente de Silvia acudió la imagen de las procesiones del Cristo de la Albahaca. En las que los devotos le lanzan hojas del arbusto a la figura sagrada.

Pinchó varias piezas con el tenedor, las introdujo en la boca y masticó con lentitud mientras le dirigía una mirada escrutadora a su mujer que también lo veía expectante. Dejó el tenedor de lado, se levantó de la mesa y manifestó su descontento acompañado de una mueca despectiva. «Esta mierda está pasada de cocción. Dásela a cualquier limosnero». Empujó el plato hasta hacerlo chocar con la copa que se volcó, dejando un manchón de vino en el mantel. Rojo de ira se levantó y salió dando un portazo.

A partir de ese momento, Silvia odió el olor de la albahaca. No podía dejar de asociarlo con la expresión del inesperado desprecio que le manifestó el marido. A partir de ese momento sintió que su existencia transcurría trepada en una montaña rusa que era necesario detener definitivamente.

Cuando vio llorar al hombre, el día que firmaron el divorcio sintió que le daba igual si su llanto era sincero o no.

Para que nada nos amarre

El tiempo se le había deslizado entre los hijos, el trabajo y variadas relaciones amorosas sin compromiso. Cuando conoció a Aníbal, próxima a la cuarentena, todo fue diferente. «El hecho fortuito que nos hizo tropezar provino de una misteriosa coincidencia. No fue obra de la casualidad». Él sonreía cuando la escuchaba atribuir el encuentro de ambos a una fuerza misteriosa que operó para conectarlos. Y aunque se sentía muy enamorada, se negaba, no solo al matrimonio sino a vivir bajo el mismo techo. «Para que nada nos amarre que no nos una nada, como dice el verso de Neruda en el poema Farewell y Los Sollozos» respondía Silvia, con gesto teatral, a los amigos cuando le hablaban sobre el tema. «Me divorcié una vez por culpa de un espagueti que no estaba en su punto justo de cocción y no quiero repetir la historia».

Se encontraron en las escaleras de un café. Ese día ella bajaba a toda prisa, cargada de carpetas. Había esperado durante media hora a un grupo de amigos en el lugar equivocado. Solo se percató de su error cuando pasó el tiempo y no vio llegar a nadie.

«No puede ser que cuatro personas me hayan fallado al mismo tiempo, la desatinada debo ser yo». Pagó el consumo y se dirigió a la salida.

Por su parte Aníbal, muy contrariado, trataba de entrar al mismo lugar, después de que la audiencia en el tribunal, adonde se llevaría a cabo el juicio de un cliente suyo, se pospuso por tercera vez.

Tropezaron de forma aparatosa. El pie de Silvia, quedó doblado de canto sobre el pavimento. Un punzante dolor la obligó a sentarse en el escalón mientras Aníbal, colocando su maletín en el suelo, recogió las carpetas que se escaparon de las manos de ella junto con un libro de poemas de Rafael Cadenas.

Él le preguntó extrañado:

— ¿Es suyo?

—¿Qué le hace pensar que no lo es? ¿Acaso usted traía uno igual en la mano? — Respondió ella con voz quejumbrosa.

— No, la verdad es que no lo traigo en la mano.

—Entonces ¿Por qué pregunta si es mío?

Enseguida él abrió su portafolio de piel negra y le mostró a Silvia un libro de carátula roja idéntico al que se le había caído a ella.

—¡Ah!, Memorial, de Rafael Cadenas, el mismo...hermosísimo poemario— dijo ella con sorpresa.

Para Silvia fue premonitorio.

Aníbal la trasladó a la emergencia de una clínica cercana donde le vendaron el pie. Después la condujo a su casa. Intercambiaron números telefónicos y al cabo de varios días, aún renqueando, ella aceptó una invitación al cine, luego fueron cenar a un restaurant italiano. Esa noche, antes de ordenar el pedido, le preguntó.

—¿Eres adicto a la albahaca?

Él respondió que le encantaba. Pero que no lo consideraba una adicción.

El gesto de desconcierto ante la ridícula pregunta fue tal que Silvia sintió la necesidad de aclararle que ella sufría de la extraña manía de odiar el perfume de sus hojas y en algún momento le diría el motivo. Con una sonora risa él le prometió que nunca cometería el desacierto de probarla delante de ella.

Después de ocho años del accidentado encuentro, con sus altos y sus bajos, la relación se mantenía.

Hinchando las velas

Miró el reloj, la hora coincidía con la despedida de los vestigios luminosos de la tarde. La peluquera, cepillo en mano, le estiraba un mechón de pelo húmedo que sostenía bajo el aire caliente del secador. A Silvia le inquietó la parsimonia de la mujer. Veía sus movimientos en el espejo igual que la escena de una película en cámara lenta.

—Date prisa Violeta, ando sin automóvil y salir de aquí a buscar un transporte es lo mismo que hacer turismo de aventura. Todavía no me han arreglado el auto después de diez días en el taller. Por favor, te lo ruego... El mecánico me aseguró haber recorrido la ciudad en busca de una pieza que no ha conseguido ni en las ventas de chatarra y repuestos usados.

Una vez que estuvo lista, salió de la peluquería y se encaminó hacia la línea de taxis. Muy molesta advirtió la ausencia de autos y personal. Incluso, la caseta del supervisor estaba cerrada, aunque un anuncio en la ventanilla decía que el horario de trabajo era hasta las ocho de la noche.

Hizo señas infructuosas a varios taxis en la vía pero todos siguieron de largo. Finalmente, un viejo y destartalado automóvil, urgido de latonería y pintura, se detuvo a su lado. Se asomó por la ventana opuesta a la del conductor para hablarle, pero solo vio una cabeza coronada de canas. El hombre estaba inclinado, deslizando las manos por el piso del auto pretendiendo palpar algo. Cuando se enderezó dejó ver el arrugado rostro.

—Perdone señora, pero es que se me ha perdido un papel. No recuerdo dónde lo puse— dijo.

—¿Adónde quiere que la lleve?— agregó.

—A la urbanización Santa Paula— respondió Silva con voz de ruego.

—No es que no quiera llevarla...es que el tráfico está muy lento los carros no se mueven.

— Entiendo, pero le ruego que escuche mi propuesta: Le pago el doble de lo que cuesta la carrera. ¿Qué le parece?— Dijo, intentado negociar.

Aceptado el acuerdo, abrió la puerta trasera y se acomodó en el asiento con precaución. Un inoportuno y amenazante alambre sobresalía en el respaldo del asiento.

El chofer siguió concentrado en buscar el papel sin arrancar el auto. Silvia tosió e hizo un movimiento para acomodarse mejor. El hombre se dio cuenta de su falta de atención. Volteó el rostro y mirándola le dijo:

—Es un papelito donde tengo anotado el número telefónico del diputado que me va a ayudar con el viaje a Cuba. Ya estoy medio cegato, allí me operarán las cataratas... No se preocupe, ya nos vamos, trataré de conseguirlo después.

Luego de rodar algunos minutos llegaron a la entrada de la autopista, un grupo de jóvenes estudiantes repartían volantes con consignas en contra del gobierno.

—Allí están los estudiantes, por eso los carros no avanzan. Han trancado la calle. No sé de qué se quejan. Antes sí había razones para protestar pero hoy no. Esos muchachos son los hijos de los fascistas que no quieren la revolución.

La calle parecía un embudo, sin boca de salida, en el que se hubieran atascado todos los carros de la ciudad.

—El problema es que cada vez hay menos libertades— dijo Silvia.

—A nosotros los pobres, los que no tenemos plata, no nos importa mucho eso que usted llama libertad. Aquí necesitamos un militar que vele por el pueblo y además ponga orden. Los que gobernaron antes eran una cuerda de ladrones. Yo también creí en ellos, pero eso no era democracia. Ahora sí que la hay. Ponga atención, nunca tuve casa propia y ya estoy anotado en la lista para que me den mi apartamentico. El comandante está puesto por Dios, créame señora, él vino al mundo con la misión de salvar la patria.

—A ver ¿Quiénes son los fascistas?— interrogó Silvia.

—Los ricos, los dueños de la plata, los empresarios. Esos, señora... son los apátridas.

—Pero hay algo que a usted no le dicen y es que las cacareadas casas para los pobres son hechas con materiales de pésima calidad. Las paredes se agrietan al poco tiempo...Y los hospitales se están cayendo. No hay medicinas. Además ¿Ha visto las corbatas de seda y los relojes costosísimos que usa el presidente y sus ministros? ¿Sabe de las mansiones que han comprado y de la cantidad de dinero que han sacado del país a sus cuentas particulares?

—Bueno, los de antes también lo hacían. El que manda tiene derecho a esas cosas— respondió el hombre visiblemente alterado.

Silvia observó el anticuado reproductor de música en el auto.

—¿Tendrá por allí una canción bonita? Es mejor que oigamos música—le dijo al chofer.

—Sí, como no, oiga éste— expresó, introduciendo el disco en el aparato.

Silvia coreó **Y quién es él**, cantada por José Luis Perales.

¿Cómo vamos a entendernos? No estoy en su pellejo ni vivo su mundo. Necesita creer en un redentor, en un militar justiciero. Repite lo que escucha como una letanía. ¿Sabrá el significado de fascista y apátrida?

En el recorrido, que se podía hacer en quince minutos, demoraron una hora. Pagó satisfecha el sobreprecio de la tarifa. Al llegar al vestíbulo del edificio dio un vistazo al buzón de correos, tomó el recibo de electricidad y entró al ascensor. Aníbal pasaría por ella después de las siete.

Abrió la puerta de la casa de par en par, extendió los brazos y exclamó eufórica:

—Mis tres amores, Álvaro, Beatriz y tú

Cerró la puerta y se agachó para cargar a la vieja gata Anastasia, que haciendo contorsiones se despatarraba frotando el lomo contra el suelo, emitiendo maullidos a manera de saludo. Besó a sus dos hijos, soltó la cartera sobre una butaca y siguió de largo hasta el baño.

—Hoy el juego será breve, tengo prisa— dijo dirigiéndose a la minina cuasi humanizada.

La hora del baño de Silvia era un acontecimiento para la gata. Apoyando el trasero en el suelo se sentaba manteniendo el torso erguido sobre las patas delanteras. En esta postura esperaba el lanzamiento de gotitas de agua que trataba de evadir, ocultándose detrás de la cesta para la ropa sucia. En segundos volvía a plantarse para repetir el juego. Estas licencias también se las permitía con Álvaro pero no con Beatriz, quien le propinaba un empellón que provocaba su huida.

Salió del baño y se dirigió a su cuarto seguida por Anastasia. Sentados en la cama encontró a sus dos hijos.

—Mamá, Álvaro y yo estamos decididos. Nos vamos del país.

—Ya lo hemos hablado antes Beatriz., pero no puedo hacer magia, en esta casa todos estamos desempleados. Para Álvaro la cosa es más fácil— respondió Silvia.

—Es verdad. Tengo mis ahorros y techo seguro en Miami, puedo trabajar en la empresa publicitaria del tío Rafael, aunque sea cargando cajas. Ya he hablado con él.

—Lo que yo quiero es hacer un curso de post grado sobre montajes efímeros en España. Puedes vender la casa y comprarte algo más pequeño, el resto del dinero me lo prestas para hacer el viaje. Algún día te pagaré esa plata— dijo Beatriz.

—Esa será la solución, hija ¿Qué no haría yo por ti? Mañana mismo comienzo a averiguar los precios de los inmuebles. Total, si ustedes se van ¿Para qué quiero tanto espacio? Entiendo que deseen irse pero...lo que soy yo, muero en mi país. Con la renta del apartamento de La Candelaria puedo vivir modestamente.

—Si no te lo expropian— respondió Álvaro.

—No creo que se atrevan a tanto—replicó, sentándose en la cama al lado de sus hijos

—Esta noche voy a cenar con Aníbal, antes iremos al teatro. Me quedaré todo el fin de semana en su casa ¿Qué van a hacer ustedes?— dijo.

—¿Yo?, nada— respondió Beatriz.

—¿Y tú Álvaro?

— Hoy es el cumpleaños de mi promoción de secundaria y tenemos gran rumba.

—Cuídate mucho, no regreses tarde. Sabes el riesgo de salir de noche.

—Mami, riesgo existe a todas horas.

Aníbal llegó puntual a buscar a Silvia. Al salir del teatro, la fina llovizna que caía, como lloro cadencioso, aliviaba la tensión de la ciudad y refrescaba el ambiente.

—¿Te diste cuenta del pleno de la sala?—expresó Aníbal.

Silvia asintió con la cabeza y dijo:

—La gente busca las representaciones de humor. La risa se ha convertido en artículo de primera necesidad, pero también escasea. Por suerte podemos encontrarla en el teatro.

—Sí, todavía podemos— respondió Aníbal.

Continuaron la marcha, ambos miraban el suelo absortos. Parecido al acto de recogimiento de dos niños después de tomar la primera comunión.

—Pasamos casi dos horas entre carcajadas y ahora nos comportamos como si viniéramos de un funeral. Parecemos bipol...

—No, no somos bipolares, si es eso lo que quieres decir. Gracias a los momentos de sana evasión podemos soportar tanta incoherencia de este sistema de gobierno— contestó Aníbal.

Entraron a un pequeño restaurant en Las Mercedes. Silvia permanecía silenciosa. Después de tomar un sorbo de agua, puso el vaso en la mesa y manteniéndolo agarrado, acercó el torso hacia él y le dijo:

—Bal creo que llegó el momento de vivir en una sola carpa y arroparnos con la misma cobija.

—La sorpresa del anuncio le produjo tos que trato de calmar con un trago de vino.

—¿Qué? ¿Vamos a vivir juntos? Mayúscula sorpresa. Después que te lo he pedido tanto.

—Los muchachos están decididos a irse del país. Yo me quedo aquí. ¿Qué haría una mujer de mi edad en un país extranjero?

Ya soy cincuentona y pobre de solemnidad. Tal vez podamos compartir nuestras vidas y cuidarnos mutuamente.

—Esta sí que es una fecha histórica para mí. Hay que anotarla.

—Aníbal pagó la cuenta sin hablar y tomándola por los hombros, casi la arrastró hasta el auto, era la mejor noticia que recibía en los últimos tiempos.

—Cuando llegaron a su casa Silvia dijo:

—Nada de Vivaldi.

—Tenían como ritual, cada vez que pasaban juntos los fines de semana en casa de Aníbal, escuchar Las Cuatro Estaciones, mientras se contaban cosas y escurrían una botella de vino.

—Pon a Sandro. Sí, quiero escuchar **Te propongo**.

Y es que para ella la música era una pasión libre, sin dependencias ni prejuicios. Esas fronteras entre lo culto y lo popular eran artificios que desaparecían a la hora de disfrutarla. Todo era cuestión de entrar en sintonía con las emociones. A través de la música realizaba los más deliciosos viajes por su interioridad. Era capaz de llorar, de alegrarse, o volar por mundos imaginarios. Aunque se tratara de un rock, una samba, un son cubano o los conciertos para flauta de Telemann.

Descalzos, bailaron con la luz apagada. Ella colocó las plantas de los pies sobre los de él; mientras Aníbal la arrastraba, en toda su liviandad, por el salón como una muñeca. Silvia se abrazó a la nuca de su amante. Sus cuerpos se contactaron través del ritmo respiratorio en un solo aliento.

—No más noches íngrimas, Bal. Nos lo merecemos— dijo

Y cantaron a dúo una estrofa de la canción que oían en la voz del cantante argentino:

Te propongo
un amanecer cualquiera
aferrada de mi brazo
compartiendo una quimera
te propongo simplemente
que me quieras.

—¿Será verdad que todos los enamorados tenemos la obligación de ser cursis?— Preguntó Silvia.

—Por supuesto— respondió Aníbal.

—¿Incluso Lenin y la Krúpskaya?

—Sí, te lo aseguro.

—¿Y bailarían? Silvia rió con todas sus ganas…

—Me imagino que estoy en la escena de una de esas viejísimas películas de Fred Astaire. Esto es divino… me encanta. Te amo porque contigo dejé de odiar.

—¿A quién odiabas mujer? No me lo has contado— preguntó sonriendo.

—Odiaba el olor de la albahaca y tú lo sabes.

Vía crucis revolucionario

El bebé, envuelto en una manta de algodón azul giraba dentro de la esfera transparente que sostenía su madre. De pronto se le escapa de las manos y comienza a flotar frente a ella, que hace inútiles intentos por asirla de nuevo. Cada vez que se acerca, la esfera se aleja, como si repeliera el contacto y en terca desobediencia a la gravedad comienza a ascender. La madre del bebé sube a un pequeño montículo y extendiendo los brazos hasta lo físicamente posible quiere detenerla, pero sus pies quedan sembrados en la tierra. Invadida por la impotencia mira el cielo, oscurecido de repente, mientras la esfera se va desdibujando en la distancia, hasta quedar convertida en un lejano punto de luz.

Silvia despertó sobresaltada del inquietante sueño por el repique del teléfono. Llevó la mano a la zona de la nuca, casi no podía mover el cuello, sentía que las vértebras cervicales se habían soldado entre sí. Eran las cuatro de la mañana. Sobándose tomó el teléfono, antes de responder vio en la pantalla el número de Beatriz y sintió un vuelco en el corazón.

—Álvaro tuvo un accidente y está en la sala de terapia intensiva en La Clínica. Estoy saliendo para allá. No me preguntes nada porque no conozco ningún detalle— dijo sin ningún preámbulo.

Silvia despertó a Aníbal y se fueron a toda prisa.

Sentada en una butaca marrón en la sala de espera de La Clínica, miraba con insistencia el reloj deseando que cada segundo que avanzaba fuera un retroceso —minúsculo y acumulativo— en el tiempo. Esos números debían moverse hacia el pasado y borrar lo ocurrido en las últimas horas. Quería congelar en la mente el momento en el que escuchó a Álvaro decir: «Tengo mis ahorros y techo seguro en Miami» Pero no, Álvaro había salido esa noche y hubo un accidente… y allí estaba ella, en La Clínica, en medio del revuelo de amigos que llegaban. Era difícil conservar la esperanza de que los planes de su hijo no se vieran truncados y que sí iba a alcanzar el horizonte vislumbrado fuera del país. *Mi Álvaro, tan esperado, tan generoso y compasivo. Mi Álvaro, tan diferente a Beatriz*... Cruzó los brazos sobre el vientre que de repente adquirió para ella, una importancia desconocida. En ese momento se le reveló como la casa amurallada donde, en el pasado, albergó al hijo, protegido de cualquier amenaza. Su memoria voló al momento en que lo vio por primera vez convertido en individuo con nombre, medidas y ciudadanía: Álvaro Miguel Angeli Montes, varón de tres y medio kilogramos de peso y cincuenta y dos centímetros de estatura. El día que nació, Lucciano estaba en un congreso de arquitectura en el exterior y el parto se había adelantado. Cuando llegó a ver al hijo, acompañado de su hermano Rafael, no hubo besos para ella pero sí un descomunal ramo de flores. También dos botellas de champaña para los numerosos conocidos que iban a dar la enhorabuena al amigazo. Completaba el trío de hijos, si se contaban las dos hembras de la esposa anterior.

Inflando el pecho, imitando lo que hacen las palomas en el cortejo y con voz engolada dijo: «Se podrá dudar de la maternidad de este niño, pero nunca de la paternidad: Es idéntico a mí. Miren esa mandíbula, cuadrada como la mía. Lo enseñaré a bucear porque seguro tendrá buenos pulmones como yo. Se nota al oírle llorar con tanta potencia. No heredará los bronquios asmáticos de su madre». Hacía alusión al asma infantil que sufrió Silvia y que muy esporádicamente se le manifestaba de modo leve. Así fue: Álvaro resultó un magnífico buzo que se pasaba horas recorriendo las profundidades marinas.

Aníbal se acercó a Silvia sosteniendo un vaso que contenía una infusión de manzanilla caliente. El humo se incorporó a la atmósfera del hospital. Tomando el envase con las dos manos, más para darse calor que para beber la infusión, le contó que había hablado con la familia del amigo de Álvaro: «El accidente ocurrió por la colisión del auto con una furgoneta de carga que iba a toda velocidad por la autopista. Las lesiones del amigo conductor resultaron menos graves. Sufrió fractura de fémur y fue él quien dio instrucciones a las autoridades para que los trasladaran a La Clínica».

Interrumpieron la conversación porque Silvia fue llamada al Departamento de Administración del centro hospitalario. El monto de cobertura del seguro de salud de Álvaro no era muy elevado, por lo tanto si la terapia intensiva se prolongaba más de cinco días sería necesario trasladar al joven a un hospital público. De solo imaginarlo se sintió tal cual habitante de Liliput: mínima, sentada en aquella enorme silla. Con los ojos cerrados apoyó las dos manos en los brazos del asiento, se incorporó y salió del saloncito, con caminar lento, casi sin levantar los pies del suelo. Al regresar a la sala de espera el médico tratante hablaba con Aníbal y Beatriz. Cuando se acercó al grupo el doctor le preguntó si era la madre. Ella asintió.

«Está luchando por su vida. El cuadro es grave hay pérdida de masa encefálica, aún no podemos determinar las consecuencias».

Silvia se alejó a rastras, sentía grilletes en los pies.

Está luchando por su vida... Las manidas palabras que dicen los médicos cuando están ante casos gravísimos... Oh Dios... el niño envuelto en la manta, dentro de la esfera que se alejaba...ese sueño ¿Será un augurio?

Seis días después, la impecable ambulancia de La Clínica llegaba a las puertas del hospital público. Allí, con sus características franelas y gorras rojas; confundidos con los vendedores de frutas, velas e incienso; grupos de personas repartía periódicos gratis. Un hombre, vestido de blanco de pies a cabeza y con racimos de collares en el cuello, ofrecía a la venta, con inconfundible acento cubano, variados objetos para rituales de santería. En las paredes, con grandes letras rojas habían escrito: Esta revolución avanza a paso de vencedores. Y a través de un megáfono, una mujer con voz ronca, rezaba alabanzas al comandante presidente de los pobres. Debajo de la gorra se asomaban mechones de pelo de color amarillo chillón que contrastaba con la piel oscura de su rostro.

El médico residente que caminaba al lado de una enfermera, no pudo evitar susurrarle. «En estos tiempos en que se pretende borrar de la historia que El Libertador era blanco y de ojos grandes. Y además se llega al colmo de inventar una nueva imagen que lo presenta mestizo, de ojos muy pequeños y rasgados, parecidos a los del comandante; resulta paradójico que esta neo revolucionaria recurra a esa burda decoloración casera para conseguir un malogrado tono rubio en su cabello. Detestan a los blancos, pero como les gusta parecerse a ellos. Por suerte soy negrito. A mí no me atacan».

Dentro de la ambulancia, junto a Álvaro, un miembro del personal de La Clínica traía el sobre con la historia del paciente. En las áreas del estacionamiento, donde pululaban vendedores de empanadas, jugo y café, esperaban dos paramédicos que con sumo cuidado bajaron la camilla donde yacía el enfermo, conectado a una bombona de oxígeno por delgados tubos en la nariz. En el brazo derecho llevaba colocada la aguja del suero que goteaba con demasiada lentitud. El proceso resultó complicado, Aníbal tuvo que intervenir para ayudar a bajar los aparatos de la ambulancia. El enfermero ajustó la velocidad de goteo y entregó las notas a los dos paramédicos. Debieron esperar veinticinco minutos en el estacionamiento, mientras encontraban una camilla en buen estado para acostar a Álvaro y devolver la que lo trasladó hasta El Hospital.

En las sartenes de cocineros ambulantes, muy cerca de la entrada nadaban las fritangas en un lago del aceite chamuscado, de donde se desprendía el inconfundible y nauseabundo olor a rancio. Tres perros macilentos y cabizbajos se le acercaron a Silvia moviendo el rabo con timidez, uno de ellos la rozó con el lomo. Podría decirse que su olfato lo había a guiado precisamente hacia la persona capaz de dar respuesta a su muda petición.

¿Será que la compasión desprende un olor que detectan los perros? ¿Perciben estos infelices lo que siento?

A la sensación de lástima se unió el desagrado que le produjo la presencia de los animales, enfermos y sucios, tan cerca de su hijo, ante la indiferencia del personal. Al parecer, a nadie le preocupaba...

Los estados emocionales de Silvia no requerían ser verbalizados. Era como si tuvieran enlace directo y autónomo con cada músculo del rostro, se retrataban en su mirada, en la forma que adquirían sus labios, en las aletas de la nariz, en las arugas de la frente... No había posibilidad de disimulo. Aníbal era capaz leerlos y se acercó a ella pensando que el sentimiento de dolor por el hijo herido no bloqueaba la compasión por los animales hambrientos.

—Pobres animales, Bal. Están enfermos y Álvaro aquí en medio de esta inmundicia— dijo Silvia.

Aníbal intentó espantarlos pero se distanciaban y volvían. Entonces compró unas cuantas empanadas de carne y se alejó del lugar hasta un quicio de cemento, los perros le siguieron, allí les ofreció la comida y mientras la devoraban, volvió hasta donde estaba la ambulancia.

Dos enfermeros arrastraron una maltrecha camilla donde fue colocado el cuerpo de Álvaro y comenzaron a rodarla hacia el interior del centro hospitalario. Junto a Aníbal y Beatriz, Silvia los siguió hasta la ancha puerta del cuarto de terapia intensiva que se cerró ante sus rostros.

Un amplio pasillo, al que daban las puertas de la sala general de los enfermos, hacía las veces de lugar de espera y estaba abarrotado de gente.

Después de pasar por una taquilla donde dio su nombre, dirección y números de teléfono, Silvia tomó asiento en el borde de una jardinera que en el pasado estuvo sembrada de cayenas pero ahora exhibía los esqueletos de tres arbustos raquíticos y sedientos de riego. A su lado se sentaron Aníbal y Beatriz.

Frente a ellos, en una columna carcomida, de color azul cielo desteñido por el tiempo, había pegada una estampa del Corazón de Jesús, cuyos bordes se enrollaban hacia el exterior sobre sí mismos, desprendidos por efectos de la humedad. Silvia pensó en la dimensión de la esperanza que albergaría la persona que, en su oportunidad, colocó la imagen; se acercó y, con las yemas de los dedos alisó los bordes haciendo presión sobre ellos, en un intento de restablecer el estado inicial de la figura. Los otros permanecían con la mirada perdida tratando de encontrar un punto donde fijar la atención. En la jardinera había tres vasos de cartón con restos de café. Una mosca revoloteaba sobre ellos.

Distanciándose del grupo, Aníbal decidió llamar a un antiguo amigo de la secundaria que había sido cliente suyo y ejercía el cargo de Jefe de la Sala de Oncología. Lo enteró del caso de Álvaro y le pidió que se mantuviera pendiente de su estado.

Después de dos horas de prolongada espera, el doctor tratante, luego de decirles lo que ya habían escuchado antes en la voz del médico de La Clínica, le entregó a Aníbal varios récipes y una larga lista de medicinas y materiales que era necesario adquirir por su cuenta pues «el hospital carece de insumos para tratar a los enfermos». Silvia pidió mirar la lista: «Jeringas, gasa, adhesivo, algodón, alcohol...». No quiso continuar la lectura y le devolvió el papel. A él empezó a preocuparle el mutismo de ella.

Salieron a toda prisa... Dejaron a Beatriz en casa, donde colectaron sábanas, toallas y artículos de aseo personal que colocaron en una maleta. Todo les parecía poco...

Beatriz sentía cansancio, le pesaban las piernas y estaba somnolienta. Apagó el teléfono, pretendiendo desconectarse de una realidad que no le agradaba. Quería evitar llamadas que pudieran anunciarle malas noticias. Conductas como éstas molestaban a su madre que lo tomaba como una evasión y había sido motivo de acaloradas discusiones entre ellas. Puso a sonar el Adagio de Albinoni. La primera vez que escuchó la hermosa pieza musical fue un sábado en que su madre lloraba sentada en el sofá, ella no se enteró el por qué, ni tenía capacidad para entenderlo. Tampoco lo recordaba. Contaba solo tres años. Ese fue el día en que Lucciano salió de viaje. Después de eso no volvió a dormir en casa y ya no lo veía en las mañanas, cuando con sus cortos pasos, le acompañaba hasta la puerta y se despedía de él con un beso.

Encendió la computadora, revisó el correo y respondió a algunos amigos que se habían marchado a España. Sobre la mesa de dibujo reposaba la obra *Nueve Cuentos*, que se había convertido en su libro de cabecera. Salinger era su ídolo, decía, y *En el Bote*, la historia preferida. Recordó la voz de Silvia diciéndole que no le parecía normal que hubiera leído ese cuento alrededor de cincuenta veces: «Tú ves en la Boo Boo del cuento a la madre ideal que todo niño anhela y que por supuesto está muy lejos de parecerse a mí. Cuídate de las obsesiones. Yo tuve una compañera de estudios que un domingo escuchó el Bolero de Ravel ciento veinte veces y el lunes estaba en el consultorio del psiquiatra. No olvides que Salinger estaba loco. Ese precioso cuento no tiene nada que ver con el comportamiento que tuvo en vida el escritor». Beatriz respondía con aburrimiento las observaciones de su madre.

«La literatura no se valora por lo que los psiquiatras consideran equilibrio mental. Toda expresión del arte tiene su dosis de demencia». Apartó las cavilaciones y se acostó a releer el cuento. Igual que otras veces, sonrió en las dos últimas palabras: «Ganó Lionel» y con ellas en mente se fue quedando dormida.

Aníbal y Silvia tuvieron que recorrer varias farmacias hasta completar la adquisición de los medicamentos exigidos. Durante el trayecto, ella le comentó el caso del conserje del edificio; cinco días antes llegó a ese mismo centro hospitalario con un ataque cardíaco. Le practicaron algunos ejercicios de resucitación pero no fue posible realizarle el electro cardiograma porque no disponían del papel requerido para el examen.

— Pobre Martín. Intentaron llevarlo a otro hospital pero murió en el camino—dijo Silvia.

— Ya recuerdo, ese caso fue publicado en los periódicos Aunque cada día estas cosas se saben menos. Los medios se autocensuran— respondió Aníbal.

Después de entregar los materiales y medicinas que les exigieron, Aníbal le contó a Silvia la conversación que sostuvo con Rodrigo Canales.

—En este hospital trabaja Rodrigo. Fue mi compañero en la secundaria y recientemente lo atendí en un caso jurídico. Es jefe de la Sala de Oncología, me dijo que hablaría con los médicos residentes que están de guardia en cuidados intensivos. Lo mantendrán informado sobre la evolución de Álvaro. Él me avisará cualquier eventualidad.

—¿Me estás diciendo que nos iremos? ¿Qué para saber de la salud de mi hijo voy a depender de lo que diga tu amigo? Pues no, yo me quedo aquí.

—Confía en mí. Seguro que él me avisará. Nuestra presencia no es necesaria y además resulta bastante peligroso pernoctar en este lugar. Es mejor que trates de descansar y acompañes a tu hija esta noche.

De repente se presentó un revuelo de enfermeras y visitantes que pasaban a toda prisa frente a ellos pidiendo llamar a la policía. Unos atracadores armados habían entrado y sometido a varios médicos despojándolos de sus teléfonos y relojes.

Beatriz despertó a las ocho de la noche con el ruido que hicieron Silvia y Aníbal al abrir la puerta.

—¿Qué saben?

—Nada— respondieron a coro.

—No hemos podido ver a tu hermano, sabes cómo son las cosas en los hospitales públicos. Continúa inconsciente. Espero que mañana nos permitan pasar a la sala. Quise quedarme en el hospital pero Aníbal no lo permitió.

—No digas eso.

— Es verdad—respondió Silvia con hostilidad.

— Cariño, te hubiera acompañado pero carece de sentido pernoctar en los pasillos de ese hospital, mucho menos después de lo que pasó hace un rato. Además de lo que me contó Rodrigo sobre los actos vandálicos en la sala de emergencias. Por eso pensé que...

—¿Qué pasó?— Interrogó Beatriz.

Aníbal le refirió lo del reciente atraco presenciado por ambos.

—Rodrigo me convenció de la inconveniencia de quedarnos. Él mismo fue víctima de los delincuentes que acompañaban a un herido de bala. Pretendieron entrar al quirófano y suspender una operación para que lo auxiliaran de inmediato. El personal paramédico socorrió al herido, mientras los delincuentes los apuntaban con sus armas.

—Pero eso es un salvajismo— interrumpió Beatriz.

—Aún así hemos debido quedarnos— protestó Silvia.

—Nuestra presencia allá no tiene sentido. Además es mejor que descanses, pues mañana nos espera un día duro.

Silvia desvió la mirada hacia Beatriz.

—Hija, ¿has comido algo?

—Un chocolate, pero en la nevera hay consomé, mami. Voy a calentarlo.

—Quédate Bal, acompáñanos.

Los tres cenaron arropados por el silencio de Silvia. Aníbal volvió a inquietarse, Si al menos llorara, pensó. Tocó sus mejillas y las notó frías. Le dio un beso en cada lado del rostro, y haciendo un nido con las manos las mantuvo sobre su cara durante algunos segundos.

Luego de despedir a Aníbal, comenzó a deambular por la casa. Se asomó a la ventana, fue a la cocina, abrió la nevera y volvió a cerrarla de inmediato.

Entró al cuarto de Álvaro y se recostó en su cama, acercando la almohada al rostro buscó las huellas de su olor.

De nuevo en la cocina, preparó café. La sola idea de ser invadida por la somnolencia le parecía una traición al hijo. Se arrepintió de haberle hecho caso a Aníbal.

He debido quedarme, mi sitio está en ese sórdido hospital.

Con la taza de café en la mano fue hasta el estudio y se percató de que la computadora permanecía encendida.

Cuántas veces se lo he dicho a Beatriz...seguro se distrajo hablando por teléfono.

Quiso apagarla. Al mover el cursor, la pantalla mostró la página del correo, en la sección, «escribir» advirtió el texto escrito pero que no había sido enviado.

Un fuerte impulso, debido más a un doloroso recuerdo que a malsana curiosidad, la obligó a leer el mensaje dirigido a

Eduardo Viso, con quien la joven sostenía una larga amistad desde la primaria. «Creo que mis planes de irme de esta casa y por ende del país se verán retardados. Mi querido hermano tuvo la brillante idea de sufrir un accidente. Te podrás imaginar lo insoportable que está la trágica Silvia. Seguramente me dirá que tendré que esperar... que con Álvaro enfermo no puede vender el apartamento... que no tiene plata, etc. etc. Recibe un beso desde la resistencia. Ciao honey. Nos seguimos comunicando».

Otra vez... Se repite la historia. ¿Por qué lo dejó escrito sin enviar? Pareciera que lo hace adrede para que yo me entere.

Estática, frente a la pantalla, apoyó el codo sobre la mesa y con la quijada sobre el puño cerrado, lloró. Se había desprendido la espita que contenía sus emociones.

Se levantó y muy de prisa fue al cuarto de Beatriz, quien veía una serie de televisión. Abrió la puerta con violencia.

—Bea, ¿Te duele lo que le pasó a tu hermano?

—Claro mamá ¿A qué viene esa pregunta?

— No sé, es que no te veo afligida, más triste te pones cuando te deja un novio.

— Eso es distinto. Más de una vez te he dicho que no soy dramática como tú. Eres una tragedia ambulante. Ah, mamá deja el rollo. Mi hermano se curará, yo me iré, él también se irá y te casarás con tu Bal. Seguro que estás pensando lo peor, le das demasiada importancia a las cosas. Yo no pienso así. Definitivamente soy igual a mi padre.

—¿Igual de hipócrita y fría que tu padre?— Sus propias palabras la estremecieron. Silvia no pudo contenerse...

—Sí, claro, pero cuando tu papá se enfermó llorabas todos los días, no te despegaste de su cama, dormías en el hospital y hasta traías su ropa para lavársela en casa y cuando yo estuve enferma del nervio ciático, que no podía moverme, pasabas todo el día en la calle.

— Te llamaba por teléfono a ver si necesitabas algo, yo estaba muy ocupada.

— Precisamente, me refiero a las cosas que te importan de verdad. Si te preguntara ahora mismo cuáles son tus prioridades ¿Qué responderías?

— Irme a vivir a Europa.

— ¿Y tu hermano?

— ¿Mi hermano qué?

—Leí el correo que le escribiste a Eduardo Viso. Me produjo temblores. Pero no es la primera vez que lo haces. Quiero enseñarte algo— dijo dirigiéndose a su cuarto.

Fuera de sí, abrió una gaveta y del sobre donde guardaba los recibos de electricidad sacó un papel impreso.

—Mira, lo tengo guardado desde hace un año—expresó enseñándole el papel que Beatriz intentó agarrar.

—Silvia rápidamente giró la mano hacia su espalda.

—No te lo voy a dar porque lo desaparecerás y después dirás que lo que dice este papel es mentira.

— ¿Y si lo tienes hace un año por qué es ahora cuando me hablas de eso?

—Porque antes fui cobarde. No me atreví a confrontarte, pero lo que acabo de leer no me deja otra opción. Después de un año repites la historia. ¿Sabes de qué habla este papel? Habla de mí. Un día llegué del cine; y, al igual que hoy, habías dejado encendida la computadora; entonces cuando tomé el cursor vi un correo sin terminar que le enviabas al mismo Eduardo Viso. Me hice varias preguntas ¿Por qué no envió el correo? ¿Qué la hizo abandonar la escritura dejando el ordenador prendido? Preferí callar. No quise caer en un juego perverso ¿Sabes? Lo imprimí. Dices que estás harta de mí, que no ves el momento de dejar esta casa. Hablas de la angustia que te produce vivir conmigo. Esa noche no cerré los párpados.

—Oye lo que aquí dice textualmente: «Silvia me sofoca, no la aguanto… Te refieres a mí por mi nombre, no me llamas mamá». Es lo que más me duele de todo.

Dando un salto Beatriz le arrancó el papel y lo hizo pedazos, después fue al baño colocó los fragmentos bajo el grifo de agua, hizo una pelota, los metió en una bolsa y los tiró por el bajante de la basura. Silvia seguía los pasos de Beatriz observando incrédula las acciones de su hija.

— Crees que eliminando las evidencias borras lo sucedido. Tienes razón cuando te comparas con Lucciano.

— No hables de mi papá, está muerto.

El padre había fallecido debido un cáncer de hígado, después de divorciarse de su tercera esposa.

—Quien lo nombró primero fuiste tú. Y de paso eres tan impredecible como él—agregó apagando la voz.

Hundida en una confusión de emociones fue a su cuarto y se desplomó en la cama. Percibió el bulto que hacía Anastasia debajo del cobertor. Con suavidad la colocó encima de su pecho, el animal se acurrucó y ella sintió alivio con el ronroneo y el calor de su cuerpo que le hacían el efecto de una caricia, de una conexión de afecto.

Pasó la noche en duermevela; se le hacía difícil dominar los pensamientos que cual balón rebotaban de Beatriz a Álvaro y de éste a aquélla.

Sin proponérselo establecía comparaciones entre ambos, intentando desestimar la certeza del desafecto de su hija. Recordó que Beatriz, desde la adolescencia, estuvo pendiente de obtener el pasaporte europeo por sus nexos paternos y nunca quiso usar el apellido Montes. Todo lo contrario de Álvaro, quien bromeaba con lo que solía llamar «las excentricidades de Bea».

Apenas amaneció sonó el timbre con un toque prolongado.

Es Bal, que bueno, no soporto esta incertidumbre.

Beatriz, que aún permanecía en la cama se levantó y corrió a arreglarse.

Silvia vio que Aníbal no se había rasurado la incipiente barba. Aunque le pareció extraño no dijo nada, le ofreció café y se dirigió a la cocina. Él pasó un brazo por los hombros de ella, mientras preparaba la cafetera.

Los dos se quedaron en silencio mientras transcurría el tiempo necesario para que hirviera el agua y pasara el vapor por el piso de agujeros arrastrando la infusión hasta las perforaciones de la pequeña torre por donde salió el líquido caliente. Cuando estuvo listo, él se separó un momento para servir dos tazas, le dio una y la condujo hasta la mesa del comedor pidiéndole que se sentara. Ella sabía que detrás de aquella aparente serenidad ocultaba algo.

—Rodrigo me llamó para decirme que Álvaro acaba de sufrir un paro respiratorio. Si no hubiera sido por él, a estas horas no estaríamos enterados, porque del hospital ni se han molestado en avisarte— dijo Aníbal.

—¿Significa que Álvaro no respirará más?... ¿Es eso? ¿Tú pretendes decirme que Álvaro está muerto? ¿Qué mi hijo se fue hasta más nunca?

Dando zancadas caminó hasta su cuarto y de allí nuevamente al salón y a la cocina. Con los ojos muy abiertos, como si fueran a salirse de las órbitas, colocó los puños sobre la boca y se quedó inmóvil recostada de una columna. Se deslizó hasta el suelo. Sentada con las piernas dobladas se abrazó a ellas y ocultó la cabeza entre las rodillas. Beatriz sollozando volteó hacia Aníbal, él también la miró pero se acercó a Silvia, la tomó suavemente por el mentón y le hizo levantar el rostro. Significaba, sí, que estaba muerto, que nunca más lo vería.

Con la sensación de desamparo de un náufrago, se levantó acercándose a Beatriz que permanecía recostada de la pared. La abrazó y entre los perfiles de ambas se confundieron sus lágrimas, de la misma manera en que confluyen las aguas de dos ríos en un estuario.

— Está en la morgue del hospital—dijo Aníbal.

—Quiero verlo pero no deseo velatorio ni pésames ni nada— exclamó Silvia con rabia, separándose de Beatriz.

—Yo me ocupo de eso— contestó Aníbal.

—Vamos Aníbal, Beatriz se queda aquí. Que llame a alguna amiga si quiere. Yo me voy a la morgue—agregó dirigiéndose a su hija.

Dos días estuvo el cuerpo de Álvaro en una cava de congelamiento esperando turno para el proceso de cremación. Si había algo que no escaseaba era la muerte...

Finalmente les fueron entregadas las cenizas. Beatriz preguntó adónde las iban a regar, Silvia contestó que en ninguna parte. La hija mantuvo silencio durante unos segundos mientras tragaba grueso. No lo puedo creer. Está loca... Mi mamá está loca. Pensó

— ¿Las dejarás en casa?— Dijo Beatriz con un grito ronco.

—Sí — fue la seca y cortante respuesta de la madre.

Después de la muerte de Álvaro, Silvia permaneció silenciosa durante meses. Acurrucada en la cama con Anastasia, oía música dejándose llevar por una modorra que no alcanzaba a convertirse en sueño. La distancia afectiva de Beatriz era más que evidente, ninguna de las dos hacía nada por salvarla. A veces le daba por escribir garabatos, estrellas o líneas...

En la madrugada se levantó y tomó un papel. Trazó dos puntos en el centro de la hoja, a la izquierda escribió: Nacimiento. A la derecha: Muerte. Unió los dos puntos.

Esto es la vida, el segmento de una recta. Antes de nacer, la infinita inexistencia; la misma que después de morir. La vida es apertura y cierre de paréntesis sobre la línea de la nada. Es esa la enaltecida eternidad de la que nos hablan las religiones.

Revolución sin estepas ni zares

El bufete de Aníbal estaba a cargo de querellas contra el estado de varios hacendados, cuyas tierras habían sido expropiadas sin recibir indemnización por parte del gobierno... Las leyes eran elásticas y manipulables, según las instrucciones que recibieran los jueces desde el alto poder. Esto no pasaba con las propiedades de los que engrosaban las filas del partido. El abogado, aunque no abrigaba grandes esperanzas del éxito de sus gestiones, se dirigió a Los Llanos, junto a dos colegas, con el objeto de inspeccionar los terrenos de sus clientes y reunir la documentación necesaria para el juicio. A su regreso se enteró de que a Silvia le habían vuelto, aunque de modo leve, los accesos de asma ya superados desde joven.

Abrazados sin decir palabra se mantuvieron durante un rato, abandonados al contacto sin decir palabra, el silencio era interrumpido por el agudo silbido del jadeo de ella. Beatriz salió de la cocina llevando una pequeña bandeja de madera con dos tazas de té que compartiría con su madre. Al ver a Aníbal le ofreció la infusión.

— Toma la otra mamá —dijo Beatriz con forzada dulzura en la voz.

Volvió sobre sus pasos por una tercera taza y regresó a la sala. Se integró a la reunión. Deseaba limar asperezas con su madre y la presencia de Aníbal era una buena oportunidad para hacerlo.

—¿Qué tal resultaron las gestiones que hiciste?— Preguntó.

—No le veo fácil solución al problema. Eso decía a mis dos colegas cuando veníamos de regreso. El Ministerio Popular de Tierras ha sobrepasado los límites de la legalidad, finalmente no pagará los bienes expropiados a los Jiménez. Lo que han hecho es una abusiva confiscación. ¡No pagarán!, igual que hicieron con la finca de los Martínez. Sepan que en el trayecto nos detuvimos en el Hato Santa Eduvigis, intervenido por el Gobierno. Allí había varios grupos de invasores asando una res recién sacrificada, mientras tres niñas y una mujer, que creo era la madre, descansaban sentadas en el piso. A la entrada del rancho improvisado, clavadas en el suelo, se mecían la bandera del país y la roja del partido. Descendimos de la camioneta y ante el asombro de mis colegas, les grité: ¡Patria Socialismo o muerte!, ellos respondieron: ¡Venceremos!, es que esta revolución ha permeado hasta la manera de saludarse. La gente imita las palabras del comandante. Lo hice adrede para congraciarme con los hombres. Nos creyeron de los suyos.

—Lo que cuentas es una caricatura de la película Doctor Zhivago— interrumpió Beatriz.

—Sí— afirmó Aníbal. —Como en la novela de Pasternak pero sin estepas, caballos ni zares y en pleno siglo veintiuno— pretendiendo sonreír, continuó:

—Un hombre maduro y curtido por el sol, quien dijo ser de la Guardia Bolivariana nos mostró, a modo de trofeo, un gran pedazo de carne que sacó de las brasas, lo partió en tres pedazos y nos los ofreció, junto con tres botellas de Coca Cola. Mientras comíamos el trozo de lomo contaron que por ahora no hacían nada y que esperaban las órdenes del comandante para empezar a trabajar la tierra. Mientras tanto se alimentan del ganado que anda realengo en la sabana. Después de la comida entonaron el Himno Nacional. Luego aprovechamos el momento en que pretendían destapar una botella de ron para despedirnos con un: «hasta pronto camaradas». Todas las talanqueras están pintadas de rojo y a lo largo de la carretera se repiten vallas con anuncios que dicen: El poder es del pueblo.

—¡Uf! que deprimente— exclamó Beatriz.

—Este es el panorama— dijo Silvia.

—Es lo que cuenta todo el mundo que viaja por esas carreteras, pero sucede también aquí en la ciudad. Esos bandoleros, declararon objetivo militar al canal televisivo de noticias; y el edificio donde tiene el consultorio mi odontólogo fue invadido durante la noche por un grupo armado. Mientras tanto, el mundo entero está viendo para otro sitio Agregó.

Después de una breve pausa exclamó:

— Álvaro no está.

Era un llamado de atención, necesitaba dejar sentado que sin él cualquier tema carecía de importancia para ella... Todos guardaron silencio.

Beatriz se fue a la cocina a improvisar unos bocadillos con la solitaria lata de atún que encontró en la despensa. Cortó en pequeños trozos el «queso de año» que les había obsequiado una vecina. Hacía dos días que no se encontraba pan, pero contaban con varios paquetes de galletas de soda.

Aníbal se asomó a la ventana. Afuera anochecía y notó que la luz se había vuelto mortecina, semejante a su estado de ánimo. Luego cayó en cuenta de que así se veían las calles de todo el país desde que se había hecho obligatorio el uso de los bombillos para ahorrar energía.

Después de la frugal cena, Silvia le pidió a Aníbal que se marchara antes de que se hiciera tarde; recordándole la inseguridad que reinaba en la ciudad.

—Sí, a las nueve de la noche las vías parecen cementerios— dijo él.

—Estaré más tranquila cuando Beatriz se vaya a Europa. Me aterra que salga a la calle... Hay tanto peligro. Mañana comienzo las gestiones de venta del apartamento.

Ambos se pusieron de pie. Él la abrazó.

—Te aseguro que si haces más presión, mis huesos crujirán— le dijo ella. Ahora entiendo lo que significa estar hecho polvo— agregó separándose de él e invitándolo a sentarse nuevamente.

Sin dar crédito a lo que oía, Aníbal escuchó, de labios de Silvia, sus planes de vender la casa, y darle el dinero a Beatriz para su viaje.

—Yo me iré a vivir a La Isla.

— ¿Qué harás conmigo?— Replicó él.

— No soy buena compañía para nadie— contestó ella.

—No tomaré en cuenta lo que dices. Será difícil que te deshagas de mí—le respondió, besándola largamente antes de marcharse.

Y encontraron el refugio

Silvia veía a los transeúntes, luciendo los más variados atuendos deportivos, pasar a su lado dejándola atrás, mientras ella subía lentamente el cerro haciendo esfuerzos por mantener la espalda recta, pero la tristeza era como un peso muerto sobre los hombros y hacía que su columna volviera a encorvarse. Ese sábado se cumplían seis meses de haber despedido a Beatriz en el aeropuerto, quien partió feliz, rumbo a España. Había dejado de asistir a las clases de Thai Chi desde que Crisantemo se marchó a Nueva York; y en lugar de ir al parque optó por subir la montaña los fines de semana. Aníbal, quien finalmente logró convencerla de que él estaba dispuesto a acompañarla en su duelo y hacer menos penosa su soledad, logró que se mudara al piso de él. Ese domingo no fue con ella a El Ávila. Se quedó redactando el documento de compra venta del apartamento que ella adquiriría en La Isla. Al vender su casa y cumpliendo lo planeado, destinó parte del dinero a sufragar los gastos del viaje de Beatriz y su estada en España durante un tiempo, que estimaron en varios meses, hasta que consiguiera empleo. Con el dinero restante, tomando en cuenta la veloz devaluación de la moneda y el exiguo rendimiento del ahorro que daban los bancos, decidió adquirir una propiedad. En el corto viaje relámpago que hicieron a La Isla encontraron el pequeño piso soñado. Lo más fascinante de todo fue el paisaje que divisaron a través de los vidrios del fondo del salón: El mar, la espuma, el cielo luminoso, el vuelo de las aves y las palmeras parecían una pintura viva enmarcada en los bordes de las ventanas. «No tendremos necesidad de comprar ningún cuadro barato. Una imagen congelada en la pared terminará por aburrirnos. Esta vista es la obra más hermosa». Había dicho Silvia.

Fatigada, se sentó en una piedra plana y lustrosa que encontró en el camino y se permitió imaginar el futuro, más amable que el reciente pasado. En La Isla dispondría de un buen lugar para retirarse algún tiempo, ordenar sus emociones y distanciarse del escenario donde había experimentado tantas pérdidas. A la ausencia de Álvaro y Beatriz se agregó la de Anastasia. Anciana y casi ciega, comenzó a padecer frecuentes molestias renales. A veces pasaba todo un día sin orinar; los maullidos lastimeros eran la expresión de su sufrimiento y Silvia no dudó en sacrificarla.

Necesitaba un paréntesis y la isla donde tanto disfrutó en su juventud representaba ese espacio prometedor para encontrar tranquilidad. Fantaseó con levantarse en las mañanas y desde la ventana., contemplar el mar; sin ruidos de motores ni smog. Se visualizaba caminando por las avenidas que en el pasado solía recorrer para comprar una moderna cartera o una blusa de seda y disfrutar del sabroso café que preparaban en las pastelerías de la avenida cuatro de mayo.

Fueron muchas las vacaciones que pasó en sus playas durante la época de soltera y después junto a Álvaro y Beatriz... Lucciano nunca quiso acompañarla. Todos los recuerdos eran gratos.

El lunes siguiente El Madrugador sobrevolaba el aeropuerto. Al ver la costa desde el avión, oprimió la mano de Aníbal. En menos de una hora estuvieron en el estacionamiento del edificio Laguna Plateada donde los esperaban para realizar los últimos trámites de la venta. Luego de firmar los documentos en el Registro, Silvia recibió las llaves que hizo tintinear manifestando una tímida sonrisa. Cuando llegaron al apartamento comenzó a hablar sin parar, Aníbal la miraba extrañado.

—Bal esto es maravilloso. Lo que siempre soñé.

—Lo bueno es que vemos hasta la espuma del mar pero no escuchamos el ruido de las olas, eso es importante porque durante la noche, si el mar está agitado se altera el sueño... Y esta cocinilla con sólo dos hornillas ¿Qué nos importa? En fin, para preparar la comida de dos es suficiente. Vamos a comprar un colchón nuevo, aunque éste se conserva bien pero huele a humedad. No resisto el olor a moho, me da alergia... ¿Te sientes contento?

—Sí, cómo no estarlo, escuchándote a ti.

—¿Por qué no bajas a la piscina a darte una zambullida mientras voy al supermercado a comprar algo? —dijo Silvia.

—Prefiero acompañarte al supermercado, no creo que sea necesario hacer una compra importante si pasado mañana nos vamos... Con algunas botellas de agua potable y un paquete de café estará bien, comeremos en cualquier restaurant.

— Tienes razón. Esta tarde cuando se oculte el sol caminaremos por la orilla de la playa.

—Esta biblioteca es estupenda para mis libros. Aquí caben todos, estoy segura— dijo mientras pasaba las manos por la superficie de un mueble de tramos y gavetas que separaba la salita de la habitación.

A Aníbal le pareció exagerado el entusiasmo de su mujer. Pensó que tal vez el hecho de estar lejos de La Capital le insufló vitalidad, quizás era el inicio de su recuperación. Sin embargo le pareció fuera de lugar la relación que hizo entre el mueble y sus libros. ¿Es que quiere traérselos todos al apartamento de la playa? Pensó. Cuando se fue a vivir con él, donó la mayoría, no obstante se quedó con cien o doscientos ejemplares, entre poemas y novelas, que aún permanecían en las cajas.

En el silencio de la noche recorrieron las huellas de regreso al delirio fogoso y ya domesticado, de los primeros tiempos de enamoramiento. En el intercambio de caricias, los besos sumergidos en una confusión de humedades y succiones los regresaron a edades ya olvidadas. Nadie recuerda el acto reflejo de un bebé ante el pezón que lo alimenta. La permuta erótica de la noche dejó su huella en los hombros de Aníbal, pero cuando disfrutaban de la ducha de la mañana, él se hizo merecedor de la medalla del triunfo. Las dos marcas dejadas por ella se vieron superadas. Fue mayor el número de diminutos sellos violáceos que dejó él en la recóndita geografía del cuerpo de Silvia.

A las seis de la mañana del día siguiente tomaron el avión de regreso a La Capital. Apenas entró en la casa intentó llamar a Beatriz pero no pudo comunicarse, le dejó un mensaje en la contestadora que no respondió.

—¿Será que siempre tendré que mendigar su afecto?— Dijo en un murmullo que Aníbal escuchó.

—Suéltala, no le des tanta importancia. Ustedes tienen un juego de «si me acerco, tú te alejas» que no le hace bien a ninguna de las dos.

Esa noche el sueño de ambos fue intranquilo. Al despertarse Silvia se dio cuenta de que Aníbal no estaba en la cama. Lo vio sentado frente a la computadora con un legajo de papeles que intentaba ordenar. Preparó café y tostadas que le llevó al escritorio. Él le pidió que desayunaran juntos pero ella respondió que no sentía apetito y se dirigió al baño. Bajo la regadera Silvia se permitió liberar el llanto contenido, el mismo que se ocultó detrás de la euforia que mostró en La Isla. Era grande la pena por su compañero.

Estoy seca como un médano; no sé si podré adaptarme a la convivencia con él.

Al despedirse, ambos estaban tensos.

A las cinco de la tarde, finalmente pudo leer en su buzón de correo electrónico unas cortas líneas que decían:

«Mami: No me llames con tanta frecuencia. Espero que estés mejor. No podré escribirte a menudo porque aún no tengo ordenador y debo ir a un centro de internet donde se forman colas y no puedo estar perdiendo tiempo».

Cuatro negaciones en las cortas líneas de un mensaje glacial. Pareciera que está tan ausente de mí como Álvaro.

Sin embargo en esos momentos no habría concebido que tuvieran que pasar años antes de verla nuevamente.

Los días comenzaban a pesar sobre Aníbal, le incomodaban las permanentes quejas de Silvia por la indiferencia de Beatriz. Esa mañana, al despedirse le dijo que cenara sola. Prolongó su estada en el bufete hasta entrada la noche porque pasaría tiempo extra en la oficina. Se refugió en el trabajo, estudiando los casos que tenía a su cargo. Le estaba resultando imposible el ejercicio de la profesión. Rodeado de códigos y decretos intentó encontrar una fórmula que le permitiera ganar el juicio contra el Estado por las confiscaciones realizadas a sus clientes. Un domingo, en cadena nacional de radio y televisión, el presidente mostraba la casa donde había pasado la luna de miel El Libertador. Haciéndose el sorprendido preguntó: «¿Qué es aquello?» Un funcionario le respondió: «Una joyería, comandante presidente». Y la respuesta del presidente, con voz altisonante «¡Exprópiese! ¿Y esto otro?...» Ante cualquier respuesta, el presidente ordenaba que se expropiara el negocio señalado. Para el militar era sacrílega la presencia de comercios en las cercanías de la casa donde habían vivido los calores de su pasión el gran ídolo y su esposa. De allí nació la leyenda popular de que el comandante era la reencarnación del héroe americano y que en la vida presente protegía lo que fue de gran importancia en su vida anterior.

Silvia se encontraba en la cama viendo el noticiero de las diez cuando llegó Aníbal. Se abrazaron dándose un prolongado beso. Ella le preparó la ligera cena que trajo a la habitación junto a una copa del vino que habían comprado en La Isla. Al salir de la ducha aún con el cuerpo húmedo, él se recostó a su lado; y comenzó a comer el sándwich. Le preguntó a su compañera sobre las actividades del día y ella le respondió con un dejo de amargura que no tenía nada que contar pues se estaba convirtiendo en un vegetal, que sólo necesitaba riego para seguir viviendo. Él le sugirió que tomara clases de idiomas o de algún instrumento. Le recordó lo bien que cantaba boleros, acompañada de la guitarra y el éxito que tuvo en la fiesta de los Zontag, donde todos la aplaudieron. Tomándole la mano, se abandonó al efecto relajante del vino hasta que sus dedos se aflojaron. Silvia volteó y miró el rostro dormido. Apagó la televisión, se levantó sin hacer ruido y caminó a oscuras por el pasillo que conducía al salón. Tropezó con las cajas de libros que aún no había abierto. Acostada en el sofá se sintió libre para entregarse a los recuerdos, como si la acción de activar la memoria en la cama perturbara la paz de su compañero. Se paseó por su época de estudiante cuando sufrió del sarampión de la izquierda y por su vida profesional...Pensó también en el matrimonio con Lucciano y en los hijos, lo más trascendental que encontró en el recorrido. También en la ruptura con la amiga, que ni siquiera la llamó por la muerte de Álvaro. Nunca supo más de ella desde que en una discusión sobre asuntos políticos la escuchó decir: «Más que cualquier amistad, para mí, lo importante es el proceso revolucionario». Estaba minada por la soledad. Y eso... no encontraba la manera de remediarlo. *No puedo arrastrarlo por mi despeñadero... soy un rompecabezas al que le faltan piezas. Debo superar este duelo. Le propondré que viajemos a La Isla. Algunos días allá nos hará bien.* Aliviada con esta idea se acostó a su lado.

Acordaron hacer el viaje. Esta vez fueron por carretera hasta El Puerto para desde allí tomar la embarcación que los llevaría a La Isla. Transitaron por caminos llenos de huecos y bajo una pertinaz lluvia que se desencadenó dos horas antes de llegar al muelle. El traslado en el destartalado ferri resultó muy lento. Las sillas llenas de agujeros, dejaban asomar los retazos de goma y otros materiales que en tiempo pasado sirvieron de relleno a los que en su momento fueron mullidos asientos. Una mujer trató de aplastar con el pie la cucaracha que merodeaba el bolso, donde traía algunos refrigerios para los dos pequeños que la acompañaban.

Acomodados en los pasillos externos que rodeaban la embarcación hicieron toda la travesía disfrutando de la brisa del mar sentados en el suelo.

La estada en la isla fue de incesante actividad: Adquirieron un nuevo colchón, pintaron las paredes de blanco y compraron un hermoso sofá-cama de líneas sencillas del mismo color.

—Aquí dormirá Beatriz cuando venga de vacaciones— dijo ella.

Los días transcurrieron veloces. Así sucede siempre cuando el tiempo es gratificador. Las mañanas la pasaban en la playa, comían en los pequeños restaurantes a orillas del mar disfrutando de la sabrosa sazón de los platos de La Isla.

Durmieron largas siestas reparadoras y por las tardes recorrían descalzos la orilla de La Caracola de extremo a extremo, En las noches se refugiaban en el apartamento para oír música, leer o ver una película.

Al regreso tuvieron la suerte de conseguir cupo en la embarcación rápida que hacía el traslado en la mitad del tiempo que el otro ferri. Antes de abordar, ella compró el periódico y él comentó con sarcasmo:

—¿Tienes esperanzas de encontrar buenas noticias?

—Sé que no las habrá pero peor es estar desinformada.

El amplio salón de este barco era más amable que el del otro. Había tres largos sofás y varias mesas. También un bar en donde se expendían tortas y refrescos. Se dirigieron a la única mesa que permanecía desocupada. Simultáneamente una joven pareja también se acercó a la misma. La mujer mostraba un embarazo temprano y les preguntó si no les importaría compartirla. Aníbal respondió que era un honor hacerlo y se sentaron todos. Silvia abrió el periódico y comentó:

—Es alarmante Ochenta y cuatro cadáveres ingresaron a la morgue este fin de semana.

—Te lo dije. Las buenas noticias son escasas. Afirmó Aníbal.

La mujer embarazada les contó que su hermano era estudiante de medicina, se lo habían llevado a la fuerza desde la puerta de la universidad y lo mantuvieron rodando en el automóvil durante dos horas.

—Le obligaron a llamar a mi padre para decirle que lo mantenían secuestrado, que no avisara a la policía y que pagara lo que le exigieran. Mi papá siguió las instrucciones y le entregó a los secuestradores el dinero que pedían en las afueras de la ciudad, en un lugar de la carretera que va al oriente. Después de recibir la plata lo dejaron en un barrio y los delincuentes le dieron lo suficiente para pagar el taxi hasta la casa.

—Pero es que hasta son generosos y amables... Ante cualquier comentario sobre la inseguridad que vivimos, la gente responde con otra historia de secuestro o robo que le ha sucedido a la misma persona o a algún conocido. No falta el estribillo: «agradezco que no me hayan matado»—dijo Silvia. El viaje resultó ameno y relajante. Ambas parejas se despidieron, con deseos de «buena suerte». Al dirigirse al estacionamiento entre las filas de carros. Apuraron el paso para evitar los gases de los motores encendidos. Al unísono dijeron «La próxima vez viajaremos en avión».

Aníbal divisó a su viejo colega, entre la gente que se dirigía a la salida del ferri. Se trataba de Daniel Bustamante, renombrado abogado en el área penal y con amplia experiencia en derechos humanos, además de gran estudioso de los regímenes carcelarios del país. Apuró el paso hasta alcanzarlo. Se saludaron con mutuas y sonoras palmadas en la espalda, mientras se abrazaban.

—¿Cómo andan tus presos? Supe que estás metido hasta los tuétanos en la defensa del periodista—

—Ese es un preso del gobierno, aquí no hay Ley que valga— respondió quejándose de la dificultad para ejercer su oficio y para distinguir la diferencia entre jueces y bandidos.

Cada vez se hace más difícil salir de La Isla. Creí que tendría que regresar nadando, o en el lomo de un delfín. Comprar el pasaje con anterioridad no garantiza que puedas hacer el viaje. Yo tenía boleto aéreo, pero a varias personas nos dijeron sin ninguna disculpa ni explicación que no había cupo. Si un pez gordo quiere viajar le dan tu puesto. Por eso me vine por esta vía. Tengo diligencias importantes que hacer en La Capital y no puedo retrasarme. En El Puerto intentaré comprar otro pasaje aéreo. Si no lo encuentro tomaré un taxi expreso.

—Yo traje mi camioneta, si lo deseas puedes venir con nosotros, así disfrutamos de tu compañía y me das tus impresiones sobre el juicio que llevo por la expropiación ilegal de varias fincas. Acompáñanos, permítenos disfrutar de tu ácido humor...

—El problema es que ya ni chistes cuento...Eso de apropiarse de las fincas se llama confiscación. Se las quitan a sus dueños y no les pagan indemnización alguna. Es el pan de cada día… Vamos, les acompaño en la aventura de transitar por las carreteras de este país.

Dentro de los matorrales alejados de la vía y camuflados por las frondas, en un pequeño garaje de tablas y techo de zinc, El Yoni y El Piri descansaban de la última faena. Habían tenido éxito, lo cual ameritó gran celebración. El primero aún dormía la resaca sobre unos cartones en el techo de la camioneta que habían robado. El otro se acercó y sacudió al amigo por el brazo.

—¡Épale Yoni!. Llámate a Lucero. Hay que negociá esta nave que vale burda e plata— dijo mientras pasaba la mano por el capó del vehículo.

—Tá copiao chamo— respondió, con voz forzada, y somnolienta el cómplice, mientras se incorporaba y salía del escondrijo.

Era el tercer auto que robaban. Se trataba de una camioneta Toyota gris plata, que habían encontrado en la madrugada, estacionada en la calle de una urbanización. Silenciaron la alarma, encendieron el motor como solo saben hacer los ladrones de autos. El vigilante que estaba en la caseta de custodia se hizo el dormido. «Que va, yo no veo. No vaya a ser que me premien con un balazo».

Lucero era policía y primo de El Piri. El funcionario fingió un atraco por parte de sus camaradas y denunció que un grupo le había atacado robándole el revólver. A los dos días los diarios señalaron: «Banda de atracadores en el Barrio La Libertad arremetió contra un policía despojándolo de su arma de reglamento». Noticias como éstas ya formaban parte de lo cotidiano.

Los jóvenes caminaron hasta la carretera. A medio kilómetro había una pequeña tienda llamada El Mercadito, donde compraron cerveza y dos latas de sardinas. Sentados en un deteriorado y viejo guacal esperaban la llamada de Lucero. Era el comienzo de la tarde. El dueño de la tienda miró a los muchachos con recelo y le dijo a su mujer que le ayudara a bajar el portón vertical para cerrar el negocio. El lugar estaba solo y ellos vivían en el caserío vecino, a quince minutos en bicicleta.

Por la vía se desplazaba con prisa el auto de Aníbal, no quería que los atrapara la noche antes de llegar a La Capital. Sin embargo se mantenían atentos a los bordes del camino por si encontraban algún kiosco donde pudieran comprar cigarrillos para Daniel.

—Estás a punto de convulsionar— bromeó Aníbal. Por suerte yo dejé el vicio hace años— agregó, deteniendo el automóvil.

—¡Epa!, amigo... espere... Necesito cigarrillos— exclamó Daniel asomando la cabeza y dirigiéndose a los que intentaban bajar el portón.

El Piri y El Yoni se miraron. Desde el lugar donde estaban sentados vieron, con voracidad el auto, nuevo y costoso que permanecía aparcado con el motor encendido. Las armas las habían dejado en el rancho y además entre sus planes no figuraba una nueva acción hasta tanto cerraran el trato de vender el vehículo, tal como acordaron con Lucero.

El de mayor edad llevaba lentes oscuros y vestía una camiseta sin mangas. Silvia lo miró con la respiración cortada. Él joven volteó el rostro aparentando indiferencia y comenzó a golpearse la palma de la mano con las puntas de un tenedor plástico que había usado para comer las sardinas. En el hombro derecho llevaba tatuado un visible trébol de cuatro hojas.

¿Era obra de la casualidad encontrarse a dos delincuentes en la carretera sentados frente al pequeño local donde el colega de Aníbal fue a comprar cigarrillos? Cuando Daniel entró al auto dijo:

— Arranca rápido, esos tipos tienen cara de delincuentes, me lo dice mi intuición de abogado penalista.

— Pero si parecen unos niños, creo que no llegan a los dieciocho años. Estos muchachos estaban recién nacidos cuando comenzó la revolución— comentó Silvia.

—Son los mal llamados hijos de la patria. Educados y protegidos por el estado para formar el hombre nuevo y mira lo que ha resultado— agregó Aníbal arrancando el auto.

—¿A cuántos habrán matado ya? No se imaginan el número de actos delictivos cometidos por jovencitos que no superan los dieciséis años—dijo Daniel.

Por suerte Beatriz se marchó, prefiero que esté alejada de este círculo de miedo que vivimos.

Silvia introdujo un disco en el reproductor. El resto del viaje lo hicieron escuchando música, casi sin cruzar palabra. Dejaron a Daniel en su casa cuando empezaba a oscurecer. Acordaron encontrarse al día siguiente en el bufete de Aníbal para estudiar los casos de los fundos confiscados.

—Allí estaré a las nueve en punto.

—Espero que tu gran experiencia me ayude a encontrarle alguna salida a este problema— dijo Aníbal.

—No esperes milagros— respondió el amigo mientras cerraba la puerta del auto.

El casual trébol de la desgracia

El bufete de Aníbal estaba situado cerca de los tribunales y aproximadamente a dos cuadras de la oficina de Daniel, quien asistió puntual a la cita. A las once de la mañana el tráfico de automóviles colapsó varias vías. Grupos de manifestantes las habían obstruido con palos y cauchos ardiendo. Protestaban la muerte de un estudiante, dentro de la propia universidad, por parte de las bandas armadas o colectivos de la revolución. Susana, la secretaria del bufete mantenía encendido un radio portátil. La voz del reportero narraba, desde el lugar de los acontecimientos la noticia del momento, la revuelta en la cárcel que provocó enfrentamientos entre reos armados y la Guardia Nacional, con saldo de varios heridos y tres muertos. La mañana transcurrió entre esporádicos sonidos de disparos y explosiones de bombas lacrimógenas. Aníbal pidió comida al restaurant chino de la planta baja del edificio donde funcionaba el bufete. Los dos abogados, junto con Susana y Martín, el office boy, almorzaron en la oficina.

—Las cárceles son un verdadero desmadre de drogas y armas. Y todo sucede con la anuencia de los que supuestamente controlan los recintos penitenciarios. Desde las prisiones pueden perfectamente planificar un secuestro para cobrar rescate— dijo Daniel.

—¿Cómo es eso?—preguntó Susana.

—Todas las autoridades son cómplices— respondió.

Cuando comenzaron a percibir la llegada de la calma, los dos profesionales se despidieron y Aníbal dijo a sus empleados que se fueran a sus casas. Solía suceder que se cerraran las entradas al metro y las líneas de autobuses y taxis dejaran de funcionar. No era de extrañar que legiones de personas se desplazaran por las calles, recorriendo kilómetros para llegar a sus hogares, si no tenían la suerte de encontrar un transporte en el camino. Daniel decidió irse caminando hasta su oficina, para esperar que se despejara el tráfico. «Si es necesario, me quedaré hasta la media noche. Prefiero esperar que baje la tensión y se desocupen las calles. Tengo muchas cosas por hacer en mi despacho».

El hogar de Martín no quedaba muy distante de la oficina y a paso rápido se marchó a su casa. No así Susana, quien debía atravesar la autopista para llegar a la urbanización donde residía. Aníbal se ofreció a llevarla.

La agitación que se vivía no era obstáculo para que cualquier par de atracadores ejecutara un plan en algún lugar alejado de los conflictos callejeros. La policía se encontraba muy activa reprimiendo las manifestaciones.

Dos hombres se desplazaban en una motocicleta de alta cilindrada haciendo ronda por las avenidas en busca de buenas oportunidades. Se percataron de que un automóvil se detuvo ante el portón del estacionamiento del edificio Mis Encantos. El chofer intentó abrirlo con el sistema de control remoto que no funcionó. Enseguida se bajó y abrió la reja de forma manual. Pasó con el auto y luego volvió a salir para cerrarla. Los hombres al ver la maniobra, pensaron que el mecanismo de la puerta estaría dañado y coincidieron en la conveniencia de detenerse y esperar a otro conductor que pretendiera hacer lo mismo. La persona que llegara a repetir la acción que habían observado antes, podría representar el próximo botín. Después de estacionar la moto en la acera de enfrente, ambos delincuentes se bajaron y cruzaron la calle hasta el edificio. Se detuvieron cerca de la entrada, simulando que conversaban.

Al comienzo de la noche el vehículo de Aníbal dobló en la esquina abordando la calle donde vivía Susana. Aminoró la velocidad delante del portal de un inmueble.

—¿Es éste tu edificio?— Preguntó.

—Está un poco más allá. Es ese de fachada marrón.

—¿Mis Encantos?

—Sí. Párese allí, por favor.

—Dios se lo pague jefe. Si no es por usted hubiera llegado a mi casa de madrugada y con lo peligrosas que son estas calles... Mire cuanto nos hemos tardado, ya casi son las seis de la tarde.

Ninguno de los dos se percató de la presencia de los hombres. Apenas Susana abrió la puerta. Uno se abalanzó y la sacó del auto a la fuerza, mientras que el otro ingresó y apuntando a Aníbal en la sien le conminó a salir. Intentó negociar: Le dijo que entregaría todo de buena gana si soltaban a la muchacha permitiéndole que entrara al edificio. Las manos del delincuente temblaban... «¡Sal de la nave marico!» y el ambiente se impregnó de un vaho de alcohol y tabaco.

Mientras Susana, aterrada, pensando que la iban a secuestrar, intentó forcejear con el hombre. Éste le gritó al otro: «Quémalo carajo...Y rápido. Esta mujer se me quiere ir».

Fue entonces cuando sonó el disparo y Aníbal cayó sobre el volante, presionando con el pecho la bocina del auto que sonaba sin parar. Los delincuentes huyeron. Una patrulla policial que hacía recorridos de rutina los persiguió dando muerte al que iba en la parrilla. Quedó tendido en el asfalto con el rostro ladeado sobre el piso. En el hombro derecho exhibía el tatuaje de un trébol de cuatro hojas.

Silvia empezó a preocuparse al ver que se hacía de noche y Aníbal no llegaba. Encendió la televisión mientras ordenaba el escritorio de su marido. Al momento repicó el teléfono. Era Susana quien, con voz temblorosa, le dijo que habían sido víctimas de un atraco y que «a mi jefe lo llevaron al hospital».

Cuando escuchó esta última palabra se tambaleó al recordar la experiencia vivida con Álvaro. Tomó la guía telefónica y se dispuso a llamar a los centros donde le pudieran informar si había sido ingresado. No fue necesario seguir indagando. Con voz grave el locutor dijo: «Sin signos de vida ingresó a El Hospital el abogado Aníbal Larrañaga. Recibió un disparo en la sien al resistirse a un atraco. Uno de los ladrones fue abatido por el grupo policial que patrullaba cerca del lugar. Su acompañante logró escabullirse. Las autoridades policiales notificaron que el delincuente muerto era un azote de barrio, menor de edad y estaba siendo buscado. Pertenecía a la banda de los jardineros».

En el pensamiento de Silvia irrumpió la escena de la tienda El Mercadito, donde pararon a comprar cigarrillos. Fue allí donde vio a aquellos dos muchachos y recordó con nitidez como uno de ellos, se daba golpes en la palma de la mano con los dientes del tenedor plástico.

La inmensa sensación de desespero actuó del mismo modo que un fuerte golpe en la boca del estómago y la lanzó de bruces en la cama, le parecía que se ahogaba revolcada por una cresta del mar. El sueño repetitivo con la enorme ola fue una plantilla que se estampó en su cerebro y revivía ahora en la vigilia.

Con los ojos secos se levantó con brusquedad y salió corriendo del apartamento. Dio golpes en la puerta de la vecina que también era abogada y conocida de Aníbal. Nadie respondió pero las dos puertas adyacentes se abrieron casi al mismo tiempo. En una se asomó la empleada y en la otra la joven, estudiante de sociología a quien con frecuencia saludaba en el ascensor.

— Han asesinado a mi marido—les dijo.

Gimiendo se sobaba los brazos con movimientos alternos. Todas las fibras se estremecían solidariamente como si fueran pinchadas al mismo tiempo por una horma de alfileres que reproducían su cuerpo.

El primer «más nunca», cuando la muerte de Álvaro, fue devastador. Ahora se repetía y volvía a cruzar el mismo y angosto puente colgante desprovisto de barandas, pero esta vez sin una mano en la que apoyarse. Pudo cruzarlo...No quiso llamar a ningún amigo. Solo recibió las palabras de aliento de Daniel Bustamante. Perdió todo deseo de contacto humano; estaría sorda a cualquier consuelo. Se sintió repentinamente en

otro mundo, rodeada de ausencia en ese presente inmóvil ...
Solo habitable por el silencio.

Entregó las llaves del apartamento a los hijos de Aníbal que
viajaron desde Estados Unidos. No asistió al acto de cremación
y después de un mes se marchó a La Isla.

Silvia y sus circunstancias
(2010-2012)

EL yo pecador

En la etapa de la adolescencia solía ir de vacaciones a La Isla. Con el cuerpo embadurnado de aceites bronceadores, que unía a toda clase mejunjes, se pasaba horas bajo el sol, tal cual una doncella Azteca ofrendada en sacrificio. Con la significativa diferencia de que la inmolación de Silvia correspondía a su propia decisión y en lugar de pasar al otro mundo con el corazón arrancado, como debió ocurrir en tiempos del imperio precolombino; lo que perseguía ahora era lograr un tono de piel moreno que la hacía sentir poderosamente atractiva. Ilusión efímera que se iba junto con el desprendimiento de la epidermis, como si se tratara del hollejo de una fruta. En cierta ocasión, después de un día de playa, enfermó con náuseas y fiebre lo que ameritó consultar con el médico. El doctor dijo que sufría de insolación. Su anciana abuela al verla, exclamó: «¡Niña, te ha dado un sinapismo por exceso de sol!, ahora las jóvenes bañan sus cuerpos de aceite mientras se fríen, igual que los pescados, sobre la arena. Después andan con ese sufrimiento a cuestas...». Creyó que sinapismo era una palabreja inventada por la abuela para manifestar desagrado o malestar. Con el tiempo constató su error. La palabra sí existía en el diccionario pero estaba en desuso... tan demodé como la propia abuela. Y la verdad: Fue casi inaguantable el malestar que sufrió por efecto de las quemaduras de sol en su piel tan vulnerable.

Lo cierto es que hay épocas en la vida de la mayoría de las mujeres en que no existe la menor preocupación por los efectos de la intemperie, hasta que cualquier día el espejo les refleja una superficial raya vertical en el entrecejo o las incipientes patas de gallo que se instalan al lado de las órbitas sin previo aviso. Cuando eso sucede se encienden las alarmas.

Ahora Silvia es otra: Se protege de los estragos del sol y de la dictadura de los años. No le hace ninguna gracia ver su piel convirtiéndose en un tejido que además de perder grosor se hace cada vez más propenso a tener arrugas y pecas. Tal cual una fina de tela de algodón, teñida con pintas marrones de los más diversos tamaños. Para complemento, debe resguardarse hasta de los reflejos luminosos que pueden afectarle la visión. Ese fue el consejo del más eminente oftalmólogo de La Isla, quien le recomendó el uso de lentes oscuros durante el día.

Y lo peor; sabe que con el transcurso del tiempo su epidermis dejará transparentar venas y tendones y será invadida por grietas, semejantes a las del lecho de un río muerto o de las paredes descoloridas de las casuchas de los pobres. No obstante con este futuro panorama imaginario, pero inexorable, de su propia humanidad, insiste en continuar de pie y seguir celebrando el milagro de la vida.

Sin amigos ni actividad laboral, no encuentra la forma de matar el tiempo libre. Huye de la luz y se la traga el aburrimiento. Pero siempre surge un salvador. En su caso aparece representado por Marina, quien le muestra la manera perfecta de escapar de la soledad y el tedio, sirviéndole de guía en el sub mundo que hasta ahora había considerado oscuro y sórdido.

La primera vez que entró a un casino fue durante su luna de miel, que transcurrió a bordo de un crucero por el Caribe. Al desembarcar en Aruba, su marido la invitó a conocer el más famoso del lugar. Pero con solo entrar se sintió invadida de una extraña sensación de rechazo. Volvió sobre sus pasos y dirigiéndose a su marido.

«Qué sitio tan desagradable, es asfixiante. Las personas que rodean las mesas parecen enfermas, fíjate en sus miradas y en la tensión de sus cuerpos. No me gusta este mundo, me asusta.

Leí una novela que cuenta las vivencias, durante veinticuatro horas, de una mujer madura: Conoce a un jugador que por la edad podía ser su hijo y se enamora de él. El hombre, que lo ha perdido todo en la ruleta, pretende suicidarse, la mujer intenta salvarlo y alejarlo de su adicción al juego pero termina siendo víctima de una pasión enfermiza por el personaje a quien apenas conoce. El jugador vuelve a sus andanzas. Abandona y desprecia a la mujer que pretendió rescatarlo. Posteriormente, ella vive durante años atormentada por la culpa y la vergüenza de su insana pasión. A mí lo que me marcó no fue el sufrimiento de la mujer arrepentida de su desliz, sino la descripción que se hace en la obra de la personalidad del jugador».

No obstante, en el presente, a Silvia le encanta el ambiente de las salas de juego que le muestra su amiga. Se siente a sus anchas. Los anfitriones, muchachos jóvenes de ambos sexos y de agradable presencia, se acercan a los clientes con la mejor de sus sonrisas a saludar, ofrecer bebidas y desear suerte. La comida es buena y a menor precio que en cualquier restaurant de la zona.

La seguridad transmitida por el cuerpo de vigilancia formado por hombres corpulentos con aspecto de detectives, provistos de aparatos de radio, muchos con la cabeza rapada y vistiendo gabardinas negras le dan la sensación de estar formando parte del elenco de una película. Puede moverse con desparpajo, ajena al temor con que transita cualquier calle aferrada a su cartera y mirando a los lados. Signos de la chifladura que vive desde el día en que dos motorizados, le arrebataron el bolso y después de tomar la plata se lo lanzaron encima al grito de «no somos tan malos, vieja». Se sintió agradecida porque al abrirlo comprobó que conservaba toda su documentación.

Al entrar al casino, apenas escucha la mezcla de ruidos peculiares que hacen las máquinas cuando se oprimen las teclas, cambia su ánimo. De tiempo en tiempo el monótono tintineo es interrumpido por efectos de trompetas, o notas musicales a mayor volumen indicadoras de que a alguien le ha favorecido la fortuna con el premio mayor. La grata y tenue penumbra del ambiente le resulta acogedora. Todo ello le provoca una automática sonrisa de satisfacción de la cual no está consciente hasta que Marina le comenta:

«Sales de casa muy seria y tu rostro cambia cuando entras al casino».

Durante el tiempo de embelesamiento frente a estos artilugios que tragan dinero, duermen los recuerdos de las amadas presencias que se fueron. Y ella está dispuesta a pagar el alto precio de permanecer horas hipnotizada por las imágenes luminosas que desfilan ante su vista y son portadoras del olvido momentáneo. Pirámides doradas, caballitos de mar, cofres desbordados de monedas de oro, unicornios, dioses mitológicos, escarabajos sagrados, tiernos cachorros de perros y gatos. El giro de los rieles dirige el vaivén del aliento que se mueve solo en lo alto del pecho, como si los músculos no participaran en la respiración. Fluye la adrenalina...La interacción con el aparato disfraza el abatimiento y la soledad.

Estar en el casino es similar al encuentro con un amante voluble, nunca se sabe cómo será la despedida. Tal vez con un beso y la promesa de verse pronto o con un «hasta más nunca» que no se cumplirá. Todo depende de los designios de la suerte, que se manifiesta en el aumento de volumen y peso del bolsillo o de las deudas que se adquieran después de desaparecer la última moneda.

Silvia siente que la sensatez le produce fatiga. Ha llegado al momento de no reflexión. Pareciera que, al borde del precipicio, sintiera una irresistible fuerza que la atrae hacia el filo. Hace promesas, busca sustituto en la lectura, pero la soledad es un camino difícil de transitar. Está minado de arenas movedizas, no hay manos disponibles tendidas para ella. Y lo peor: Se sabe absolutamente prescindible para Beatriz. Entre ella y su hija existe un océano, innavegable, una inmensa superficie de cristal. *Vivimos en permanente apuesta y el sitio más seguro de esta isla, donde mejor dan muestras de amabilidad, es el casino... Buscar la gratificación instantánea y fugaz del premio mejora mi ánimo... borra el hastío. El germen del jugador siempre ha estado latente dentro de mí... Esa fue la razón de mi miedo cuando entré por primera vez al casino en Aruba...*

Un aviso, una premonición. Sí... por eso el miedo... Las separaciones, las pérdidas, la decadencia que me anida han sido el abono para que germine en mi jardín esta horrorosa flor carnívora. El insecto soy yo.

La buena y la mala racha

Circulan buenas noticias. Se anuncia que el estado devolverá parte del capital a los ahorristas del banco intervenido. Es el momento que Silvia espera ansiosa y con la misma incertidumbre del que se prepara para una cita a ciegas. No tiene certeza de nada, solo rumores. Teme que el monto de sus deudas supere el total de los ahorros El casino es como un padre permisivo. Hace todo por complacerla, le facilita la permanencia en el lugar: Basta pasar la tarjeta por el punto de venta y a cambio, le entregan dinero en efectivo que se queda en la panza de las máquinas tragamonedas.

Va a la cocina se sirve restos de café frío, prueba un sorbo y lo rechaza. Contempla el mar que no se muda de sitio, igual a los recuerdos que la habitan. Detiene la mirada en el afiche colgado en la pared con la fotografía de Álvaro. La había tomado su padre en la playa cuando cumplió cuatro años. Lleva el torso desnudo y un caracol en las manos. Mira el cielo, tal vez atraído por el vuelo de algún ave. Los pequeños pies permanecen ocultos por la espuma de la orilla. Un sollozo contenido acompaña el recuerdo de los ausentes.

El sonido del timbre la despierta de su ensueño, es Marina.

—Hola, dijeron en el noticiero que están llamando a los ahorristas del banco que intervino el gobierno para devolverles parte de la plata. Y a propósito de eso vengo a proponerte un negocio—dice.

—Sí, ya me enteré que nos van a devolver un porcentaje. Hoy mismo voy a retirarlo. Necesito pagar algunas deudas a la tarjeta de crédito, ya sabes… ¿Cuál es el negocio que me propones?

—Norma necesita que le prestes dinero.

—¿Quién me garantiza que Norma me va a pagar?

—Yo te lo garantizo— dice Marina.

Silvia duda.

—¿Tú, con qué?

— Déjame que te explique la negociación: Le prestas diez mil que es el monto que necesita, le cobras doce por ciento mensual, ella te entrega en garantía un reloj Rolex de oro puro. Dentro de tres meses te paga el capital y listo.

—Ah, esto es peor. Me propones que sea una casa de empeño. La garantía cuesta mucho más que el préstamo y yo no haría eso, lo sabes...No, Marina definitivamente no. Además el monto de los intereses es muy elevado. Eso se llama usura.

—Pero es que El Jabibi le cobrará más y la mujer que vende empanadas en La Caracola le está pidiendo el veinte por ciento mensual— responde Marina.

—¿Te refieres al árabe? ¡Qué ironías! ¿Le dicen mi amor o algo así? Porque eso es lo que significa jabibi, creo...

—Piénsalo. Me voy a esperar a Alejandro, hoy le toca visita— dice con sonrisa maliciosa.

La imagen del prestamista de las salas de juego le produce escalofrío. Se trata de un hombre despeinado y maloliente. Las frases que logra construir con su precario léxico, suelen contener dos o tres palabrotas en mal castellano. Es muy solicitado pero también hay quien llega a odiarlo. Puede ser la salvación de un jugador que atraviesa su mala racha y logra el desquite con el dinero del préstamo. Pero se habla también de la actitud implacable cuando no le pagan puntualmente los elevadísimos intereses que cobra. Silvia no desea compararse con tal personaje.

Al salir hacia el banco se percata de que el ascensor no funciona y debe bajar por las escaleras. En sentido contrario, viene un hombre cargando a una joven contrahecha, de aproximadamente treinta años. Tiene el tronco poco desarrollado unido por el cuello a la cabeza de tamaño normal con abundante y oscura cabellera rizada. Los ojos son marrones, de mirada vivaz y candorosa. Las cortas piernas permanecen inmóviles y terminan en hermosos y pequeños pies, de piel muy blanca y fina, que lleva descalzos. Los brazos también son cortos, solo puede mover la mano derecha, con la que se apoya en el omoplato del hombre, porque la izquierda está atrofiada y permanece en estado espástico, sin movimiento. Silvia se recuesta de la pared para darle paso. En la planta baja encuentra a una mujer de edad madura recostada de una silla de ruedas. Deduce que pertenece a la que llevan en brazos por las escaleras. Se saludan, la mujer le comenta sobre las repetidas fallas de los ascensores y le dice que ella es la madre del hombre y de la joven que él lleva en brazos. «Es necesario subirla cargada hasta el piso once. Luego mi hijo volverá por la silla».

Silvia, a su vez, se queja de los altos montos que cobran para pagar los supuestos gastos de mantenimiento. La gente transita por las escaleras calladamente, sin sorprenderse. No es la primera vez que ve la escena. Piensa en la desidia de los que conforman la junta de condominio y también en la actitud sumisa de los propietarios.

¿Por qué tanto silencio... tanta aceptación? Laguna Plateada es la expresión fiel de la decadencia y del caos nacional...

Hay seres para quienes los espacios desaparecen, esas son las personas sin lugar en el mundo. Silvia siente que no encaja en ninguna parte, todos los entornos le parecen hostiles excepto el casino y las pequeñas dimensiones de su apartamento.

Con la molestia causada por los ascensores dañados convertida en rabia llega al banco. Para entregarle el dinero le exigen abrir otra cuenta en una institución financiera del Estado. Solo recibe parte de los ahorros. El proceso para devolverle la cantidad que resta demorará. No le dicen ni siquiera un lapso aproximado.

Rumiando su malestar, entra en el supermercado, necesita comprar agua potable. Percibe el calor del ambiente a manera de un vapor tibio y húmedo que exhala la boca de una enorme cueva. Decide comprar dos botellas pequeñas, pensando que tal vez a su regreso los ascensores no habrían sido reparados y no quiere ni pensar en subir decenas de escalones con la carga de los dos botellones de cinco litros.

Piensa que la mejor opción es el casino. Enfila hacia El Tropical.

Sentada, muy tensa, frente a las pirámides egipcias marca la apuesta mayor y comienza la interacción con la máquina. Oprime la tecla sin prestar atención a las figuras que aparecen en la pantalla cuando se detienen los rieles. Por su mente desfila una sucesión de imágenes y pensamientos: la fotografía de Álvaro, el silencio de Beatriz, las manos de Aníbal, la mujer deforme, la anciana recostada de la silla, la junta de condominio incompetente, las cadenas radiotelevisivas del comandante, la voz de Marina, los usureros del casino. Sin duda está perturbada. No hay ni vestigios de aquélla sensación placentera e hipnótica de otras veces que la desconectan de la realidad. Repentinamente los sonidos de la máquina suben de volumen y se detiene el mecanismo. Ha sido tocada por la diosa de la fortuna. En la pantalla con luz intermitente se lee la palabra Jackpot y titilan cinco pirámides doradas. Indican que ha sido favorecida con el premio mayor. En el extremo derecho de la pantalla los números muestran ochocientos mil puntos. Ganarse el máximo premio de un artefacto de éstos no es cualquier cosa. Se acerca a ella la empleada, en compañía de un hombre de seguridad que transmite por radio a las oficinas de las cajeras: «Máquina ciento veinticuatro. La pantalla marca ochocientos mil créditos; equivalentes a diez y seis mil». Silvia está perpleja.

El hombre del radio la acompaña hasta la oficina. Allí presenta su documento de identidad, asientan sus datos en una planilla, y después de firmarla le entregan el importante fajo de billetes. Con manos temblorosas toma el celular que se le resbala de las manos. El empleado de seguridad, muy amable, lo recoge del suelo y se lo entrega. Silvia le obsequia una jugosa propina, a él y a la anfitriona que cuenta el dinero en presencia del hombre. Siente alegría por el premio pero también miedo. En más de una oportunidad han ocurrido atracos a jugadores que ganan sumas gordas. A veces algún soplón avisa a sus compañeros de banda. Así pasó la vez que un empleado dio el aviso sobre la mujer que ganó el bingo especial; la siguieron hasta su casa. Durante el atraco la mujer se resistió y fue asesinada. A partir de ese día los empleados no pueden entrar al casino portando teléfonos celulares.

Silvia llama a Marina.

—¿Dónde estás?

—En mi casa con Alejandro, pero ya se va.

—¡Sorpresa! Gané el jackpot. Vente en cuanto puedas a El Tropical. Te invito a almorzar. Estaré en el comedor.

—Ya voy para allá. Espérame.

Marina llega eufórica.

—Ya almorcé pero quiero probar un poco de esa salsa que se ve muy bien— dice mientras toma un trozo de pan y lo humedece en el plato de Silvia. Poniendo cara de niña inocente pregunta.

—¿Para mí no hay premio?

Silvia le entrega varios billetes con la recomendación de que no haga apuestas elevadas.

—Espero que al fin decidas hacer el negocio que te propuse. Vete a tu casa. No hay que tentar a la suerte— dice Marina, ojeando los alrededores buscando el lugar adecuado para comenzar el juego.

—Sí, sé que debo irme. Basta por hoy. Voy a pensar lo del negocio con Norma. Me gusta tanto el casino, pero con los ingresos que tengo no puedo satisfacer mi adicción. Además yo no soy Dostoievski.

—¿Quién es ése? ¿Un millonario?

—No, era un genio de la literatura pero, además, empedernido jugador de ruleta. Dicen que, acosado por las deudas de juego y presionado por la editorial escribió la novela El Jugador en tres semanas. Se la dictó a una taquígrafa. Imagínate la clase de escritor que era.

—Gracias por la aclaratoria. Por supuesto que ni eres escritora ni genio. Así que no te queda más remedio que meterte a prestamista.

Ambas rieron ruidosamente.

—Así será, amiga—dice Silvia.

La memoria retiene las experiencias gratas. Es el «matiz hedónico», según explicaba su profesor de psicología en la secundaria. La remembranza placentera impulsa a buscar la gratificación. Es lo que motiva al perro que trae la pelota y espera salivando la recompensa de una golosina. Así funciona en el jugador el golpe de suerte que le favorece en un momento determinado. No hay racionalidad que valga, no hay libertad de decisión, no hay autonomía para elegir el camino. Desaparece la congruencia entre lo que se piensa y lo que se hace. En el mundo del juego impera la más férrea dictadura. Es común escuchar a los jugadores decir: «Es mi distracción. Hago con mi dinero lo que me da la gana», «puedo dejar de jugar cuando quiera». Otros aceptan su fragilidad y prefieren guardar silencio.

Al final todos terminan obedeciendo el llamado del casino. Por ese día Silvia ha recibido su dosis de emoción. Sabe que le será difícil conciliar el sueño en la noche. Así es la resaca del ludópata. Quiere llegar a su casa y escuchar un poco de música que la ayude a relajarse.

Cuando pretende marcharse del lugar, una elegante mujer entrada en años se le acerca. Con aparente timidez le dice:

— Yo estuve «pegada» durante dos horas a la misma máquina que le dio a usted el premio. La juego todos los días y hoy le introduje cinco mil.

Silvia la escucha, sin disimular el sobresalto que le produce su acercamiento.

—¿Qué es lo usted pretende decirme?— Pregunta, distanciándose de la mujer.

—Espere, no pretendo nada, solo quiero que me escuche. Me siento muy mal.

Silvia no quiere ser grosera, pero tampoco desea conversar con la desconocida por muy buena presencia que tenga. La mira de arriba a abajo y comprueba su aspecto impecable. Lleva una elegante cartera del mismo tono que los zapatos y las manos, tan conservadas y bellas, son las de una persona que nunca ha lavado un plato. Un guardia de seguridad pasa su lado y la saluda con respeto. La mujer la invita a tomar algo en el bar. No puede contener su ansiedad, piensa que le están armando una trampa y empieza a atemorizarse. No se atreve a salir del local; pasa por su mente la posibilidad de una llamada de la mujer a alguien que esté afuera esperando para darle el golpe final. *Me van a atracar. No... tengo miedo...*

—Disculpe debo llamar a mi amiga—dice mientras marca el número de Marina.

—¿Qué te pasa, dónde estás?— Responde Marina quien reconoce el número de Silvia en la pantalla del teléfono.

—Necesito que vengas, estoy cerca de la puerta y quiero presentarte a una nueva conocida.

Cuando Marina llega saluda a la mujer y la besa en la mejilla. Silvia expira el aire contenido con gesto de alivio.

—¿Se conocen?— pregunta Silvia.

—Claro, Cira es muy popular y todos la apreciamos mucho. Yo le digo bromeando que se mande a construir una habitación en el casino.

La tensión del cuerpo de Silvia cede como por arte de magia. La mujer les dice que la acompañen al bar. Marina no acepta la invitación prefiere continuar jugando.

—Las máquinas se parecen a los novios, si los descuidas te traicionan... Cábalas de jugador.

Silvia y la recién conocida, sentadas en el bar ordenan dos manzanillas.

—Usted quizás no se ha dado cuenta, pero he estado observando su manera de jugar. Con audacia, sin miedo. Se parece a mí y lo que quiero es conversar un rato con alguien, antes de irme a mi casa. Me la paso sola— dice y agrega:

—Soy médico, estoy jubilada y comencé a jugar desde que mi esposo falleció. Mis hijos están fuera del país. Usted sabe, aquí no hay futuro para los jóvenes. Vivo con un nieto que está terminando la universidad pero en cuanto finalice la carrera, se irá a vivir con sus padres a Costa Rica. Afortunadamente mi esposo me dejó una mediana fortuna, pero ¿Quiere que le diga algo? He dejado gran parte en los casinos. tengo temor de perderlo todo y convertirme en una carga para mis hijos.

Silvia se siente aguijoneada por la curiosidad de saber si conoció a Rebeca,

—Tuve una amiga que se vino a La Isla y un día desapareció, era asidua visitante de los casinos.

—Debe referirse a Rebeca Aray. Esta Isla es como un puño, aquí se sabe todo. Sí, la conocí de vista aunque nunca nos hicimos amigas— contesta.

—Sí, me refiero a esa persona.

—Oí decir que era tía de un alto ejecutivo de la empresa petrolera.

—No me explico por qué con esas influencias su sobrino no movió cielo y tierra para dar con el paradero de Rebeca. No se supo si se suicidó o si fue víctima de una venganza por las deudas que había adquirido— Interrumpe Silvia.

—Y cambiando de tema. El gobierno cerró los casinos en todo el territorio, excepto aquí en La Isla. Los han dejado funcionar por ser zona turística. Sin embargo uno no puede menos que sonreírse, o más bien hacer una mueca de tristeza cuando ve a los que ahora forman la nueva élite socialista venir los fines de semana y meterse de cabeza en las ruletas y en las mesas de póker a jugar inmensas cantidades— expresa Cira.

—Es que detrás del manejo de estos centros están los militares. Yo dejé de ir a ese lugar muy lujoso y en el que se disfruta de muy buen ambiente, porque he visto manejos dudosos: Hay máquinas con avisos de «Reservado». Pasan horas con el anuncio hasta que llega alguien, comienza a jugar y suenan las campanas del premio— dice Silvia.

—Lo peor es que sabemos de las trampas y no nos despegamos de las máquinas. Hace años que estoy hundida en este mundo del que no puedo salir. ¿Se ha dado cuenta de la gran cantidad de mujeres que vienen? Sobre todo las de tercera edad. En esa máquina que le dio el premio mayor he dejado una fortuna. Y fíjese, apenas usted se sentó y al cabo de poco tiempo...

—Es algo que debemos tener claro: El ganar o perder es cuestión del azar, de eso que llaman racha. No importa cuánto invierta. El juego es una adicción, es asunto de cada uno de nosotros...Esta enfermedad, porque lo es, no perdona clase social ni formación intelectual. No nos diferenciamos de los drogadictos ni de los alcohólicos. Cuando un jugador llega a su casa no habla incoherencias, ni su aliento huele a alcohol y su aspecto es el mismo que tenía antes de entrar al casino. Es la mejor adicción que existe. Solo deja huellas en el bolsillo.

—Esa joven que está allí frente a nosotras tiene un bebé recién nacido viene todas las mañanas, a escondidas de su esposo y pasa por lo menos dos horas jugando. Ni que decirle de las que venden empanadas. Se dejan la vida frente a un caldero y luego llegan a jugar con lo que ganan en el día— afirma la mujer.

—En cierta ocasión se me acercó una muchacha y me dijo que su bebé estaba hospitalizado, que el dinero destinado para la compra de pañales lo había jugado todo, pensando que podría ganar lo suficiente como para adquirir las medicinas que no había en el hospital. Después que le di algo de dinero me enteré que lo había hecho otras veces. Es una pescadora de incautos. Además un cuento como ése es creíble en el país de las mentiras— responde Silvia y llama al empleado para pagar la cuenta.

—Déjeme pagar a mí, he sido yo la ganadora y me corresponde brindar.

Se despiden con cordialidad y cada quien toma su camino. En el caso de Silvia con un amargo sabor de boca. Hubiera preferido no conocer a la mujer que perdió el dinero que ahora está en sus manos.

La prestamista

En La Isla existen diversos tipos de casinos. Están aquellos visitados por una clientela variopinta, donde pareciera que se esfuman las diferencias sociales. La condición que los hace populares es la presencia de tragamonedas que aceptan apuestas de bajo costo; y el disfrute de precios más económicos en los menús. Es común ver a un chofer de camión, desaliñado y sudoroso, sentado al lado de alguna mujer emperifollada. Por estos lugares también deambulan prestamistas. Pueden ser hombres o mujeres que, cual lobos, merodeando madrigueras de conejos, suelen mantenerse en las cercanías de las ruletas o mesas de póker y black jack, prestos a solucionar cualquier urgencia que se le presente al perdedor desesperado, a cambio de una joya o un pagaré firmado en el mismo local.

Los centros de juego lujosos ofrecen toda clase de servicios y hasta disponen de oficinas de préstamo, atendidas casi siempre por una bella mujer. Sus clientes pertenecen al grupo de Very Important Person, o VIP a secas. Suelen prestar servicio de cambio de dólares a precios de mercado negro, a sus clientes de confianza.

Para Silvia, la palabra prestamista es sinónimo de avaricia y carencia de escrúpulos, de especulación con la necesidad del otro. No se cree capaz de ejercer tal oficio, o al menos eso es lo que piensa hasta que la vida le demuestre lo paradójica que puede llegar a ser.

En los cuentos fantásticos de la niñez, los personajes que prestaban dinero, eran hombres sombríos, jorobados y flacos, o muy obesos. Vestidos de negro, con barba puntiaguda y nariz gorda y enrojecida. No recuerda a ninguna mujer que se dedicara a estos menesteres. Las mujeres malvadas que conoció en las ficciones infantiles estaban representadas por brujas y madrastras.

Durante su infancia no leyó ningún relato en el que la usura fuera ejercida por figuras femeninas. Tuvo que esperar la adultez para conocer a la usurera de la novela Crimen y Castigo en el personaje de Aliana Ivánovna, la mezquina anciana que terminó siendo asesinada por aquel estudiante miserable.

Al recibir parte de los fondos que habían quedado represados en el banco expropiado, Silvia paga un porcentaje de sus deudas, guarda el resto y se dedica a jugar a sus anchas con el dinero obtenido al ganar el premio mayor. Lo pierde recorriendo las casas de juego de La Isla. En cada una va dejando parte del botín hasta desprenderse del último centavo que había ganado. Debe recurrir de nuevo a la «bendita generosidad de los bancos». Basta con poseer una tarjeta de crédito, ese «rectángulo áureo» que ella llama con sarcasmo la mano de Dios, porque cuando se desliza por las ranuras de los puntos de venta del casino se produce la multiplicación del dinero. Cédula de Identidad y firma apresurada son suficientes para obtener el fajo de billetes que activan el mecanismo de los aparatos de juego.

La usura es despreciable. Lo señala el Antiguo Testamento y hasta Aristóteles la consideró una perversión. No cederé al pedimento de Marina. Jamás me lucraré con la necesidad de otro.

Dos meses transcurren sin que Silvia entre por las puertas de un casino. Está endeudada, cada vez la situación económica se vuelve más difícil pero no quiere cruzar la línea que la separa del mundo de los prestamistas. No obstante…

La muerte de los principios se vuelve endémica cuando domina el caos. Cualquiera es vulnerable al contagio yo no soy la excepción. Qué otra cosa puedo hacer. No voy jugarme el resto de los ahorros. Pero tampoco puedo con esta desolación sobre mis hombros. Y por lo visto, aunque haya llegado a pensarlo, no soy suicida.

El cielo se presenta envuelto en una fina telaraña que deja filtrar escasa luminosidad, dando al ambiente el aspecto de triste quietud. La fina llovizna que cae contacta con la superficie caliente y se evapora de inmediato formando una nube cerca del suelo que aumenta la humedad del entorno y hace más sofocante el calor.

En el porche de Laguna Plateada, junto a la desnuda jardinera, que solo tiene tierra seca y cuarteada, Silvia espera que Marina termine de arreglarse. Permanecer en el apartamento, sin disponer de electricidad que alimente los aparatos de aire acondicionado, es lo mismo que asarse a fuego lento. La amiga llega ataviada con una de sus originales combinaciones. Se ha decolorado un mechón de pelo que cae, blanco, rígido y marchito desde el centro de la frente hasta morir en la sien. Carga ajustado pantalón color rosa, calza sandalias violeta oscuro y lleva franela del mismo color con un corazón en el pecho que dice «love me». La llamativa vestimenta contrasta con la palidez de sus labios. Marina no acostumbra usar lápiz labial. Sin embargo exagera en el rímel y en la raya negra alrededor de las pestañas. Se muestra alegre, igual que siempre y saluda a Silvia mostrando su típica sonrisa infantil, que desentona con los cincuenta largos años.

—Amiga, ya tus problemas económicos están resueltos. Has tomado la mejor decisión— le dice.

Suben al automóvil de Marina y parten rumbo al oeste. Estacionan frente a la funeraria San Judas Tadeo. En la puerta está una mujer acompañada de un joven de treinta años.

—Allí está Norma con su hijo menor— dice Marina.

Norma, otra de las que ha emigrado desde tierra firme, es viuda y con tres hijos. Después del fallecimiento de su marido, decide convertirse en emprendedora y entre las diversas posibilidades que pasaron por su cabeza, escogió la más rentable. En la zona céntrica alquiló una espaciosa casa y, asociada a los dos hijos varones, levantó su modesta empresa funeraria. Los precios del servicio son los más bajos de La Isla y le rinde buenas ganancias. Pasan a la pequeña oficina y toman asiento. La primera en hablar es la dueña de la funeraria. Le explica que necesitará una suma mayor que los diez mil pautados. Su deseo es adquirir un importante lote de urnas porque cada día aumenta la demanda y además se prevé el incremento de los precios. La cantidad sugerida asciende al total de los ahorros de Silvia, que aún se encuentran a salvo de las incursiones en el casino.

No obstante, es una buena oportunidad: Con los intereses que devengará del préstamo podrá pagar las deudas. La idea le produce alivio.

—Somos personas serias y responsables y puede confiar en nosotros. Necesitamos el dinero pero quisiéramos negociarlo a un interés menor al propuesto por Marina.

Silvia no exterioriza su sorpresa. Nada ha acordado con su amiga sobre los intereses que cobraría a Norma. Con fingida naturalidad le pregunta.

—¿Cuál es el interés que propone usted?

—Máximo ocho por ciento mensual— responde.

Para Silvia la suma es exorbitante, más que usura. Casi el cien por ciento anual. Muy por encima de lo que cobraría un banco. Pero los bancos no hacen préstamos sino a los escogidos...

—Acepto— dice Silvia y acto seguido saca la chequera.

Norma abre la carpeta que está sobre el pequeño escritorio, elabora una letra de cambio y entrega el reloj como garantía Silvia se lo devuelve.

—No es necesario, le dice ¿Cuándo piensa pagar la totalidad del préstamo?

—No quisiera comprometerme con un plazo determinado. Tenga confianza le pagaré los intereses puntualmente.

Salen de la funeraria cuando ha escampado y comienza a filtrarse la luz por una rendija del cielo. Quisiera preguntarle a Marina cuál fue el interés que le propuso a Norma, quiere reclamarle por qué se ha tomado tal atribución pero guarda silencio.

Yo también estoy aprendiendo a callar. ¿Me estaré convirtiendo en rana?

Una bruja en el poder

Todos los días, Silvia celebra el rito de contemplar la laguna y el mar desde la ventana. Al retirarse ve, en un tramo de la biblioteca, el aviso de cobro del condominio que le habían entregado una semana antes. El monto ha aumentado por los gastos de pintura de los pasillos y el mantenimiento de las piscinas. Con el cheque en la mano se dirige a la planta baja del edificio para realizar el pago.

Por suerte hoy los ascensores se mueven.

Entra a la oficina de administración que funciona en un pequeño local, frente a la casilla del vigilante que está a la entrada del edificio. Le entrega el cheque a Esperanza, así se llama la empleada de la comunidad de propietarios. Con amabilidad le solicita que mande a retirar los avisos amarillentos colgados en la pared frente a los ascensores. En uno se comunica el horario de racionamiento de agua del mes anterior. A su lado está otro que advierte sobre las precauciones a tomar durante la fumigación efectuada quince días atrás. La mujer le responde de mala gana, demostrando que le molesta el reclamo. Le dice que precisamente en ese momento los iban a retirar y en su lugar se colgaría otro cartel para convocar la asamblea de propietarios a celebrarse en fecha próxima. El objeto de la reunión es, según explica, elegir la nueva junta de condominio porque la actual ha terminado su período. Le muestra la convocatoria refrendada por la presidenta del condominio R. Cruz Bonilla, a quien apodan La Bruja.

De ella puede decirse que su aspecto no tiene nada que ver con el prototipo de las hechiceras malas y devoradoras de niños de los cuentos de la infancia; desgarbadas y de nariz ganchuda. Menos aún con la bella y maléfica madrastra de Blanca Nieves, ni con las doncellas de los pueblos celtas que bailando en el bosque, en tiempos de luna llena, desnudas y libres, invocaban la fertilidad y abundancia en las cosechas. Esta mujer representa, más bien, a la Hécate mitológica. El principio femenino en su expresión maligna: Pícara, malévola, portadora de la locura y de la testarudez. Mide más de un metro setenta de estatura que soportan unos ochenta kilos de peso. Mantiene la postura erguida, sin joroba y camina con pisada fuerte balanceando sus enormes nalgas, que suben y bajan alternadamente semejando los platos de una balanza. A pesar de la edad, pasa de los sesenta años, lleva el pelo cortado casi al rape, al estilo punk. Lo peina hacia arriba y apuntando hacia el cielo, a fuerza de gomina. Cada hebra luce tiesa e inmóvil. Los niños del edificio comentan, en son de burla, que parecen los clavos de la cama de un faquir. Si algo llama la atención en su rostro son los ojos claros y hundidos, parecen dos valles entre los protuberantes huesos de los arcos que rodean las órbitas. Destacan las cicatrices en sus mejillas, secuelas de un accidente de automóvil. El hondo surco vertical entre las cejas, es producto del gesto habitual de amargura. Cuando frunce el ceño su mirada adquiere aspecto amenazante, que a veces puede parecer macabro, sobre todo cuando la fija en alguien que no es de su agrado. Es difícil imaginar que alguna vez fue bella. Generalmente viste ropa blanca. Lleva un tatuaje permanente en forma de caracol en la gruesa muñeca izquierda. Las manos son grandes y de dorso y palmas abombadas que se continúan con dedos robustos, coronados por largas y fuertes uñas. Suele llevarlas pintadas con esmalte plata salpicada de escarcha que destellan tonos matizados de azul y rosa.

En el pequeño local alquilado, en la zona comercial del centro de La Isla, presta sus servicios de lectura de cartas, caracoles y tabaco. Allí acude una clientela muy variada, incluidos jueces, militares y policías a leerse la suerte, o a encargar trabajos para amarrar amores, conseguir empleo o curar enfermedades. También la contratan para cometer fechorías. Se rodea de grupos de muchachos a quienes manda a robar huesos en el cementerio para cualquier ritual de brujería de importancia mayor. Ya nadie se sorprende de la profanación de tumbas que suceden con frecuencia. De igual manera les encomienda la misión de rayar un automóvil o vaciarle los neumáticos, por encargo de algún «buen cliente». Lo mismo puede hacer con el del supuesto enemigo, que para ella es cualquiera que se oponga a sus propósitos. Se hace acompañar de un obeso «babalao» cubano, de piel negrísima y andar parsimonioso. Anda siempre vestido de blanco de pies a cabeza, lo que hace su físico más llamativo. Entra y sale del edificio cargando enormes floreros de cemento y paquetes de velas y tabaco. Es astuta, sabe de sobornos y de la ineficacia de las leyes. Despierta temor en la gente y ella lo alimenta haciendo alarde de sus amistades en el mundo político y jurídico. En una oportunidad se presentó en el edificio nada menos que con la rectora de jueces de la zona. Ese día todos los vecinos la vieron con admiración. Se pavoneó por los pasillos exhibiéndola como su gran amiga. Puede decirse de Cruz que es una emprendedora del bajo mundo y es que ha tenido la brillante idea de beneficiarse de su gestión al frente de la junta administradora de Laguna Plateada. Al llegar al condominio rescindió el contrato con la empresa de vigilancia que siempre se había encargado de la seguridad del edificio y creó una compañía constituida por hombres de mal vivir que ella misma reclutó y que luego inició en la santería. Su condición de guía espiritual le asegura la fidelidad incondicional de los habitantes de la residencia.

Después de recibir la constancia de pago de manos de Esperanza, Silvia regresa a su casa. En la puerta se encuentra a Eleonor Pineda, la misma mujer que ha visto antes al lado de la silla de ruedas y madre de la inválida. Ésta la saluda y le dice que se ha tomado la libertad de ir hasta su apartamento porque quiere hablar con ella y le ruega que le conceda unos minutos.

—Estaba a punto de irme... deseo hablar con usted— le dice.

—Estaré encantada de recibirla en mi casa. Ya me dirá— responde invitándola a entrar.

Eleonor observa que no hay nada que desentone en aquel diminuto espacio que luce impecable y le resulta grato a la vista. Un sofá y butaca blancos y el pequeño comedor compuesto por una mesa de grueso cristal circular biselado y cuatro sillas venecianas de madera color miel con asientos de mimbre, es todo el mobiliario que hay en el saloncito. En el centro de la mesa un bol de cristal azul añil contiene una tupida y brillante planta acuática. Silvia ha completado la decoración definitiva del piso que había comenzado en compañía de Aníbal.

— Le ofrezco café. Aún me queda algo de este tesoro que ya no se consigue. ¿O prefiere una taza de té?

—Me perturba el sueño—dice Eleonor.

Al frente de la pequeña cocina de dos hornillas, debajo de la encimera de granito blanco hay un estrecho mueble de tramos, donde se alinean los más variados y coloridos envases de té y otras infusiones, la mayoría están vacíos, su función es decorativa. Silvia le ofrece un tilo que es aceptado por Eleonor.

—¿Toma azúcar?

—No gracias, soy diabética.

—Yo uso edulcorantes desde que desapareció el azúcar de los anaqueles—dice Silvia.

Mientras se calienta el agua, viste la mesa con un pequeño tapete redondo de fibra. Coloca la bandeja de madera con la jarra blanca de humeante infusión junto a dos tazas que hacen juego. Eleonor le dice que la ha buscado a ella porque piensa que es de las pocas personas que no se mantiene indiferente ante la incompetencia de la junta administradora en cuanto al manejo de los fondos y el mantenimiento del edificio. Le advierte además que La Bruja ha comentado por los pasillos que los reclamos de Silvia la tienen molesta.

—Usted ve lo mismo que vemos todos nosotros pero no nos atrevemos a reclamar por miedo a sus represalias. Yo sufro con esta situación. No puedo bajar a mi hija a tomar sol porque temo que los ascensores se estropeen en cualquier momento y luego no encuentre como subir. Mi hijo vive lejos, entonces prefiero dejar a Milagro encerrada en el apartamento frente al televisor, y de vez en cuando ruedo la silla hasta la ventana para que se distraiga viendo el mar y los pájaros.

Hace una pausa mientras contempla las cortinas blancas, que se mueven rítmicamente al soplo del aire como un pecho que respira.

Tomando la hoja de la planta acuática entre los dedos, desliza el pulgar de un extremo a otro, pretendiendo percibir la textura. Rompe el silencio para contar que ella formó parte de la junta pero se retiró al darse cuenta de que La Bruja ha usurpado la presidencia del condominio durante tres años, burlando a la comunidad.

—Aquí existen apartamentos en los que no vive nadie de manera permanente. Muchos propietarios vienen solo durante las épocas vacacionales. Hay europeos y canadienses que nos visitan una vez al año. Un propietario que no asiste a la asamblea puede darle poder a otro para que lo represente. ¿Sabe lo que hace la mujer? Se presenta a la reunión con montones de autorizaciones que no le ha dado nadie porque las firmas son falsificadas— dice Eleonor.

—¿Eso quiere decir que las elecciones de los miembros que administran el edificio son fraudulentas?— Interroga Silvia.

—Sí, son un fraude—contesta.

Silvia, se pone de pie y va hasta la cocina con la intención de llenar nuevamente la jarra que ya han vaciado.

—Oiga Eleonor, desde que me mudé a este edificio he tenido problemas con las personas que administran el condominio. Mi primera batalla fue cuando cambiaron el color blanco de la fachada por ese amarillo chillón que pretende competir con la luminosidad del propio sol. Se han gastado fortunas en supuestas reparaciones que no solucionan nada. No contratan a empresas serias; prefieren mantener a un técnico que pareciera que sabe de ascensores lo que yo de japonés. Tampoco entiendo por qué permiten que esa señora esté en la presidencia. La gente comenta sobre su falta de honestidad, murmura por los pasillos pero nadie se atreve a enfrentarla. Creo que su educación es muy básica, carece de capacidad para manejar una nómina de empleados y obreros de mantenimiento como la que existe aquí. Ambas desvían la vista más allá del borde de la mesa, directamente hacia el techo, de donde proviene la agradable resonancia de un objeto móvil que se balancea sacudido por el viento. Son cuatro tubos de aluminio atados por finísimos hilos de nailon a un rectángulo de madera. De esta estructura cuelga un liviano círculo, del mismo material, con el que chocan las formas tubulares produciendo un agradable tintineo vibratorio que inunda el pequeño salón.

Eleonor escucha el sonido complacida. Por su parte Silvia contempla el movimiento por segundos y evoca el momento en que Beatriz se lo regaló días antes de marcharse a Europa, disimula el pasajero pinchazo de emoción. Eleonor continúa:

—Recuerdo aquel viernes en la tarde en que entré a la oficina de administración. Esperanza estaba ordenando unas planillas que introdujo en un sobre de manila mientras hablaba por teléfono. Oí que dijo con voz apurada: «Hice lo mejor que pude» y colgó. Apartó el sobre y se dispuso a atenderme. Yo me senté frente a ella y en vista de que el escritorio estaba lleno de papeles y recibos, coloqué en la esquina de la mesa de trabajo, mis documentos y un cuaderno de dibujo que había comprado para mi nieto. Hice el cheque por el monto de la mensualidad del condominio. Ella me preguntó si no me importaba que me extendiera el recibo respectivo el día lunes. Tenía cita con el médico y su deseo era llegar a tiempo. No objeté nada y le entregue el cheque firmado que guardó en la gaveta. Tomó la cartera y entró a la toilette a retocarse el maquillaje. Yo me puse de pié y recogí mis cosas sin percatarme de que también me llevaba el sobre de manila que la secretaria había estado manipulando.

En ese momento Silvia interrumpe para exclamar:

—Seguro encontró algo que delata la deshonestidad de la junta.

—Piensa usted de manera correcta. Cuando llegué a mi casa coloqué la carpeta en la mesita del salón. Créame, no me di cuenta sino hasta el día siguiente, cuando busqué el cuaderno de dibujo, que debajo estaba el dichoso sobre.

Después de recuperarme de la sorpresa y de culparme por mi falta de atención, le confieso que sentí muchísima curiosidad por saber lo que contenía. Pero no fue hasta el domingo cuando me atreví a sacar las planillas y pude ver que eran formatos de poderes para representar a los propietarios en las asambleas. Si, ya sé que usted me dirá que eso no tiene nada de malo; pero es que había, además, fotocopias de firmas que coincidían con las de las autorizaciones. Todas las planillas estaban escritas con la misma letra y el mismo color de tinta. Se ve que alguna persona habilidosa imitó cada rúbrica para autorizar su representación en la asamblea.

Es de suponer que las originales fueron tomadas de los documentos de propiedad que se entregan en las oficinas cuando se adquiere un apartamento. Las pasaron a una lista y de aquí las copiaron en los formatos de autorización.

Cuando esa mañana llegó mi hijo para llevarme a misa, le mostré los papeles. Según él, se trataba de una burda falsificación. El lunes bajé a primera hora y devolví el sobre a la secretaria, disculpándome por mi distracción. Ella me pidió con voz suplicante que no le dijera a nadie que yo había tenido ese sobre en mis manos y mucho menos a Cruz. Me preguntó si lo había revisado. Yo le mentí, «no he visto nada». Tampoco le dije que mi hijo había fotografiado las firmas, a petición mía. Se las mostré a mi vecina, quien reside desde hace mucho tiempo en Laguna Plateada y me aseguró que algunos de los firmantes eran personas que no residían en la isla sino que venían una o dos veces al año de vacaciones. Lo más insólito es que descubrió que ella y otros vecinos aparecían autorizando a la mujer para que las representara en la asamblea, cosa que jamás habían hecho. Lo cierto es que en esa oportunidad se celebró la reunión y la junta fue reelecta. Ninguno de los asistentes se ocupó de preguntar quiénes eran los que firmaban, La Bruja solo mostró el lote de poderes dentro de la carpeta.

—No me canso de repetirlo: Somos parte de una población de ranas sancochadas—Interrumpe Silvia.

—Ni pensar en denunciar el fraude porque estaba consciente de que nadie me apoyaría. Esta comunidad es muy supersticiosa y además usted debe saber que Cruz goza de la protección de algunos jueces a quienes les hace trabajos de santería. No sé mucho de estas cosas pero me han contado que a eso se debe que ande siempre vestida de blanco. El vigilante que contrató hace tres meses es su pupilo, fíjese que ya luce los collares de iniciado. Ser santero en estos tiempos es motivo de orgullo. Más que ser profesional universitario.

—¿ Es cierto que no se llama Cruz sino Restituta?—Interroga Silvia.

—Si ¿Cómo lo sabe?

Silvia guarda silencio. Marina, que lo sabe todo en el edificio se lo contó. Sabe también que no permite que la llamen por su verdadero nombre y que, por supuesto, nadie es capaz de desafiarla.

Eleonor toma el último sorbo de su infusión y se excusa por abusar de la paciencia de su confidente.

—No es ningún abuso, continúe su relato. Debemos buscar la forma de que esa mujer deje de presidir la junta y de estafarnos como lo está haciendo. No podemos aceptar tanta ruindad— dice Silvia.

—Una noche me levanté a eso de las dos de la madrugada, para darle a mi hija un jarabe para la tos. Después de haber interrumpido el sueño, no podía volverme a dormir; entonces me recosté de la ventana que está en lo que fue el estudio de mi esposo. Yo vivo en los apartamentos que tienen vista tanto a la playa como a la avenida. Desde allí diviso gran parte del estacionamiento. ¿Qué fue lo que vi esa madrugada? Pues a La Bruja junto con el vigilante. Imagínese usted, la persona a quien pagamos para que nos cuide. Forzaban la puerta del automóvil del señor colombiano del piso diez y sacaron algo de su carro. Al día siguiente el gran alboroto: Furioso reclamaba el robo de su aparato de sonido. Al parecer se debió a una venganza porque el señor Restrepo envió una carta en la que calificó a los miembros de la junta de ineptos y les preguntaba a dónde iban a parar los abultados montos de las mensualidades. Sus padres ancianos habían venido a visitarlo desde Bogotá y tuvieron que subir con todo el equipaje por las escaleras ya que ninguno de los cuatro ascensores funcionaba.

—Ahora entiendo la razón del miedo de la gente. Pero debe haber la forma de salir de esa mujer. La cuestión es no rendirse. Nuestra residencia es la fotografía en miniatura del país— dice Silvia.

—Debo irme, Milagro está sola— expresa Eleonor, mirando el reloj.

—Dígame ¿Su hija se queda en casa sin alguien que la acompañe?

—Es lamentable. Antes podía pagarle a alguien para que la cuidara pero en estos tiempos no puedo hacerlo. La dejo en su silla de ruedas frente al televisor cerca del teléfono fijo y del celular. Con solo estirar la mano que le funciona puede atender y realizar llamadas con la mano que le funciona.

—Espero que vuelva a visitarme cuando quiera.

—Y yo deseo verla en la próxima asamblea— responde Eleonor.

La mujer se dirige al pasillo de los ascensores mientras Silvia, desde la puerta, con una mezcla de compasión y ternura, sigue con la mirada su lento y pesado andar.

Tambores de guerra

A Silvia no le agrada jugar durante la noche. Ella se auto denomina jugadora diurna. Pero tratándose de la fastuosa inauguración del Premium hay que hacer una excepción. Allí está acompañada de Marina. Todo el mundo sabe que los dueños del lugar son dos hermanos portugueses, testaferros de un ministro militar del gobierno socialista.

Durante la recepción, los clientes disfrutan de la cena servida en largos mesones cubiertos con manteles impecables; decorados con fuentes de cristal llenas de uvas moradas y verdes, manzanas y kiwis en ruedas... Los aromas de los frutos de mar se combinan, en una danza de ondas olfativas con el perfume del vino que va de polizón en los diferentes aderezos de los platos de aves.

Esa noche se avisa por los parlantes que el Premium permanecerá abierto las veinticuatro horas del día. La gente aplaude.

Si algo valora el jugador obstinado es disponer, en cualquier momento, de su centro de placer que, dicho sea de paso, puede convertirse en la peor y frustrante experiencia.

Las dos amigas salen del casino en la madrugada y con signos de obesidad en sus carteras. La ganancia es gorda. Se dirigen a sus respectivas casas a soltar tanta tensión acumulada durante las horas de apuesta.

La claridad de la mañana coincide con el estado de ánimo de Silvia, ha dormido poco pero bien. Suspira con satisfacción al recordar la productiva noche.

Al levantarse, sin embargo, se percata del estado de la casa. Le desagrada darse cuenta del indiferente reposo del polvo sobre todo el mobiliario, especialmente en los tramos de la biblioteca y en las carátulas de los libros. No quisiera dejarse invadir por la desidia.

Ya tengo bastante con la que observo a diario en las calles y en las áreas comunes de este edificio. Me están alcanzando los tentáculos de la indolencia.

De espaldas a la ventana inclina la cabeza hacia atrás y toma aire agradecida por la suave brisa. La intensidad de la luz la obliga a bajar los párpados, se endereza de nuevo. En la mesa del comedor aún descansan los recibos del servicio de televisión por cable y electricidad, ya vencidos; y que permanecen en el mismo lugar desde no sabe cuántos días.

Tanto tiempo de evasión total en los casinos... por lo menos esta vez se compensa con este saldo positivo en mi cartera.

Prometiéndose ponerle orden a su vida, hurga en la despensa casi vacía y saca el único paquete de galletas que queda dentro de la lata. Abre la nevera de manera automática. La pequeña jarra de agua a medio llenar junto con un frasco de mostaza y otro de pepinillos es todo lo que hay. En el fregadero descansa el vaso con restos de jugo de naranja fermentado y que lava rápidamente, no se ocupa de economías ni de racionamientos, deja fluir el agua mientras se restriega las manos bajo el chorro, como si pretendiera borrar las huellas del contacto con las tragamonedas. La euforia se va transformando en ansiedad. Con nerviosa rapidez arma la pequeña cafetera. Son los últimos restos de café que quedan. Toma dos galletas que va mojando en la infusión caliente y las introduce en la boca con displicencia, manteniéndose de pie. Antes de tomarse el resto de la bebida observa el flotar de las migas. Cualquier nimiedad parece buena para escapar de sí misma.

Debo ir al supermercado a ver qué consigo.

Para prever cualquier falla de la memoria elabora la lista de compras que guarda en el bolso.

Al salir de la casa, en lugar del acostumbrado tufillo a materia descompuesta cerca de los cuartos de basura, justo al lado de los ascensores, percibe un olor a antiséptico. Piensa que los reclamos de la gente han surtido efecto.

En el espacioso salón de entrada de la planta baja están las empleadas de la limpieza barriendo afanosamente, las saluda con sonrisa de aprobación. No imagina que su agradable percepción duraría poco. Al llegar al auto e intentar introducir la llave en la cerradura de la puerta, nota que está obstruida; después de insistir varias veces, se da la vuelta y regresa. Las mujeres del aseo la miran sorprendidas. No camina, Silvia se desplaza dando zancadas con la mirada al frente y los dientes apretados detrás de los labios contraídos. Las aletas de la nariz lucen dilatadas. Con la mano derecha sobre el hombro sostiene fuertemente el asa de la cartera que le atraviesa el pecho hasta descansar en la cadera izquierda donde se bambolea de un lado a otro. Se detiene frente al ascensor y oprime el botón varias veces. Al abrirse las puertas, sale un niño con su bulto escolar acompañado de Eleonor.

—Supongo que es el nieto—le dice.

—Sí, se quedó a dormir conmigo. Sus padres se fueron de fiesta y no tenían quien lo cuidara durante la noche. Parece que usted no está bien, la veo muy agitada—responde Eleonor al salir del ascensor.

—Hace dos días envié una carta a la administración quejándome de su incompetencia para resolver los problemas del edificio y les señalé lo de siempre: cobros exorbitantes, deterioro, malezas en los jardines... Acabo de recibir la respuesta a mi carta, pero no en el papel sino en un acto vandálico: No puedo abrir la puerta de mi carro. Le han colocado cemento en las cerraduras; están llenas de «pega loca». Responde Silvia mientras mantiene hundido el botón de parada.

—Ya empiezan las represalias— contesta Eleonor.

Silvia suelta el botón y las puertas se cierran con ruidoso ímpetu. Al llegar al apartamento, la rabia se ha convertido en impotencia. Se desploma en el sofá, siente mareo y un ligero dolor de cabeza que desvían su propósito de ir al supermercado. Cierra los ojos, intenta aflojar los músculos pero no logra relajarse. Toma el teléfono y marca el número de Marina.

—Quiero hablar contigo ¿Puedo bajar?

— Baja cuando quieras. Mientras tanto voy montando la cafetera y te dejo la puerta entreabierta.

—¿Y tienes café?

—Sí, Alejandro me trajo dos paquetes. Lo consiguió en la bodega de los chinos, muy caro por cierto.

Marina la recibe enrollada en una toalla y escucha con estupor, lo que le han hecho al automóvil.

—Esto es obra de La Bruja. Cuando supe que enviaste aquella carta planteando tus quejas, no quise decir nada porque estaba segura de que igualmente la enviarías.

—Es que me parce insólito que toda la comunidad esté bajo la voluntad de esta mujer que lo único que tiene para compartir con los demás es su propia mediocridad. Si no estás con ella te vuelve polvo. Eso no lo voy a aceptar— dice Silvia exasperada.

Marina le recomienda quedarse tranquila, como si no hubiera pasado nada.

—Alejandro sabe de esas cosas, él nos ayudará a quitar esa pega. Quiero que me acompañes a casa de Florencia Alvarenga. Me llamó angustiada porque anoche intentaron invadir el edificio donde vive. Eran cerca de cincuenta personas y entre ellas había hombres armados, mujeres embarazadas y niños. Vive sola pero su hija está aquí en la isla pasando vacaciones. No sé si la recuerdas. Se trata de la señora elegante que anda con el bastón, esa misma de la cual me comentaste que ha debido ser muy bella en su juventud. Siempre saluda con amabilidad. Suele jugar en las mesas de póker. Te conté que se ganó el acumulado de la pared de ciento cincuenta millones de los de antes o ciento cincuenta mil de los de hoy.

—Sí, no es necesario que me aclares lo de los tres ceros que le quitaron a la moneda los genios de la economía del gobierno. Así nos disfrazan la devaluación que sufrimos como si fuéramos idiotas… Ya sé de quién me hablas. Es la señora de ojos azules. Por cierto tiene fama de ser muy jugadora.

—Vamos, te acompaño, responde Silvia.

Al llegar a la residencia ven que el lobby luce en desorden. Envases de jugo, vasos de cartón, un biberón plástico y hasta una pequeña almohada, que posiblemente abandonaron los invasores en la huida, permanecen regados por el suelo. La cuadrilla de limpieza trabaja a toda prisa. La edificación consta de un conjunto de apartamentos de lujo con amplios espacios comunes y exuberantes jardines. Hay varias viviendas que funcionan bajo la modalidad de resort o tiempo compartido las cuales son ocupadas, en su mayoría por turistas.

Florencia cuenta que en la madrugada sintió ruidos y voces que coreaban «la vivienda no es mercancía» y luego de entonar el himno nacional ocurrió lo más aterrador: Empezaron a forzar las puertas y los huéspedes, muy asustados, salieron en pijamas, cargando a sus niños. La gerencia tuvo que ubicarlos en diferentes hoteles porque se negaron, después que llegó la policía y desalojó a los invasores, a permanecer en el edificio.

—Mi hija tomó un cuchillo de cocina enorme, que casi nunca usamos, porque decía que de ella nadie iba a abusar, yo traté de disuadirla... era peor despertar la violencia de esa gente, pero confieso que hubiera deseado tener un revolver en la mano.

Este apartamento se lo debo al trabajo de mi difunto esposo y ahora que estoy anciana hago con el dinero que me dejó lo que a mí me da la gana. No se lo he robado a nadie— dice Florencia con evidente molestia.

—No abandonamos la casa porque temimos que, al dejarla sola, los invasores se robaran los enseres. Rodamos las camas contra la puerta, para entrar tendrían que haberla derribado. Solo abrimos cuando nos dimos cuenta de la llegada de la policía regional. Lo peor es que estas noticias no salen en los medios y la gente no se entera— agrega la hija.

—En algún momento será nuestro turno, Marina. En el terreno vacío, a media cuadra de Laguna Plateada, he visto reuniones de personas con banderas rojas. A través de unos parlantes transmiten cantos revolucionarios. Pasan horas sentados, conversan, toman cerveza, comen sándwiches y luego se van. Ese comportamiento me despierta suspicacias. Tal vez tienen algún plan.

—No pienses en eso. Nada de mortificaciones gratuitas— interviene Marina.

—Ya sé que evades las preocupaciones pero es preferible que no nos agarren desprevenidas—refuta Silvia.

—Mejor vamos a almorzar un buen pasticho de berenjena para olvidar el sufrimiento. En La casa de la Lasaña, los preparan muy sabrosos—responde Marina.

Silvia hace un gesto afirmativo.

En el restauran hay poca gente, se acomodan en una mesa para dos personas.

—Ese tipo es súper atractivo y me está mirando, o tal vez te mira a ti—susurra Marina haciendo que Silvia desvíe la mirada con disimulo hacia la mesa que está diagonal a la de ellas.

—No estoy para coqueteos Ya mi tiempo pasó. Te aseguro que ese hombre debe andar rondando la frontera de los sesenta y está soñando con una joven de veinticinco. Así que no te hagas ilusiones. Si nos está mirando debe ser porque alguna de las dos le recuerda a la madre de su novia. No olvides, querida Marina, en este país. O mejor dicho, en el mundo masculino, el envejecimiento es una enfermedad que solo ataca a nosotras las mujeres.

Mientras ambas ríen, son interrumpidas por el camarero que se acerca para tomar el pedido.

—Dos lasañas de berenjena— dicen a coro.

—Entiendo tu molestia por lo que te hizo la bruja, pero no permitas que te amargue el día. Conoces el mejor remedio para curar la rabia— dice Marina acariciándole el antebrazo.

—Claro que sí, la rabia y la tristeza también. El casino es la medicina.

Salen del restaurant con las mismas expectativas de quien va encontrarse con un buen amante.

Ladrón que roba a ladrón...

Los altos intereses provenientes del dinero prestado a Norma representan un respiro para la asfixiada economía de Silvia. La consecuencia inmediata es mantener la frecuencia de visitas semanales al casino.

El comportamiento de un jugador de tragamonedas, es similar al de cualquier apostador: variado y ajeno a toda racionalidad. No guarda relación con el hecho de pertenecer o no a determinada clase social sino con las diversas modalidades que ofrecen las máquinas y las respuestas compulsivas de la persona que juega, ya que es ella quien decide el monto del riesgo. Puede hacerlo marcando la tecla con la menor apuesta o reduciendo el número de rieles que entran en el juego. De esta forma se exponen pequeñas cantidades de dinero pero nunca «sonará la flauta», el premio jamás será importante. La ventaja es que se puede pasar más tiempo jugando antes de vaciar los bolsillos, o si la suerte está de su parte puede regresar a casa con una pequeña ganancia. Las personas de este tipo son jugadores de alta frecuencia. Constituyen los llamados ratones de casinos y su umbral del placer por la ganancia no es ambicioso. Lo importante para ellos es permanecer jugando y dejar alguna reserva para asegurarse el regreso al día siguiente. Es la forma preferida por Marina.

El otro tipo de jugador es el que reta a la máquina, marcando la tecla de la apuesta más alta con todos los rieles en acción. No le importa el riesgo. Su objetivo es ganarlo o perderlo todo. Poco le interesan las ganancias menudas. Es capaz de perder sumas importantes en poco tiempo. A esta clase pertenece Silvia.

Las dos amigas han quedado para ir al Bingo del Mar. De acuerdo a las cábalas no debe volver tan pronto a El Tropical donde ganó el premio gordo pues «la suerte se muda de sitio». Suben al auto, liberado del emplasto que pusieron en las cerraduras de las puertas. Al pasar por el frente del local, Marina le pide que siga de largo hacia la Avenida Cuatro de Mayo.

—¿Y eso?... ¿Qué haremos allí? — Pregunta Silvia.

—Me robaron el símbolo de la Toyota del capó de mi auto. El Ladroncito, que es amigo mío, me consiguió otro y me lo vende barato.

—Sí, es como una epidemia de robos. A mí también me pasó.

—El ladroncito me adora. La gente comenta que es la propia Toyota quien está detrás de los robos porque hay escasez de dólares para importación—dice Marina.

—No lo creo— contesta Silvia y agrega —¿Por qué te adora El Ladroncito?

—Porque yo le regalo cosas.

—¿Cosas cómo qué?

— Verás, le traigo la comida que me sobra. Hace meses le regalé un antiguo equipo de sonido en buen estado, también le llevo artefactos viejos que puede vender como chatarra— dice Marina haciendo su acostumbrado gesto de picardía.

—Ese logo que te va a vender barato ¿No será el mío? — responde Silvia con una mordaz carcajada a la que Marina hace coro.

—Míralo allá está— dice Marina.

Recostado de un dátil, bajo el sol inclemente, permanece sentado sobre un pequeño cajón. Marina se asoma y lo llama con el movimiento de la mano. El hombre se acerca apoyándose en la puerta. Cuando recibe el dinero El Ladroncito protesta:

—¡No, qué va!, a mí no me lo vuelves a hacer. Dame lo que te pedí, faltan veinte. Debo compartir esta plata con mi socio.

Silvia mira con compasión el cuerpo enteco y maltratado del hombre y percatándose de que Marina no manifiesta intenciones de pagarle lo convenido, saca las monedas y se las da para que las entregue al vagabundo. Al recibirlos, el hombre busca en su bolsillo el objeto robado y lo pone en la palma extendida de la mano de Marina. Lo guarda en su bolso, mientras le dice a Silvia que arranque.

—¿Cómo lo conociste?

—Él siempre anda por aquí, colabora con la gente que viene a las tiendas del sector, busca sitios libres en la calle donde estacionar el carro, lo cuida de otros ladrones... luego pide propina. Ese es su trabajo. Ay del que no le dé nada. Es mejor que no vuelva porque tiene memoria fotográfica y seguramente se vengará con un buen rayón en cualquier parte del automóvil.

—¡Ajá!— contesta Silvia. —Y te interesa ser su amiga pero pretendes robarlo. No sé por qué te casaste tan joven, has debido incursionar en la política. Seguramente habrías sido exitosa en ese oscuro mundo. Puedo jurarlo— agrega.

—Así es. Si quieres le encargamos el logo que te robaron a ti— es la respuesta de Marina.

Suben a la sala de juego por medio de un ascensor que se abre en el interior del local Al percibir el olor característico a perfumador de ambiente, Silvia responde con los signos de excitación de otras veces, que se traducen en estados de bienestar y euforia. Marina se detiene a saludar a El Jabibi, mientras pasea por los espacios sin decidir qué máquina jugar. A esa hora del medio día el casino se convierte en el refugio perfecto: Temperatura fresca, fondo de música lenta y relajante, escaso número de personas; maduras y jubiladas, generalmente solas, que acuden a suplir la carencia de compañía humana interactuando con las máquinas.

Después de dar algunas vueltas Silvia selecciona la de símbolos egipcios: El Ojo de Horus, el rostro de Cleopatra, el escarabajo dorado y las pirámides, todas de color oro están allí inmóviles a la espera de la interacción que se iniciará con la introducción de la moneda.

Los rieles giran cientos de veces ante un número igual de pulsaciones de la tecla. Una hora después ha perdido todo el efectivo que tiene, equivalente a quince días de sus gastos ordinarios.

El jugador compulsivo no se da cuenta de cuántas veces ha contenido la respiración o tensado los músculos del cuello. La conexión con el aparato debilita la percepción de las urgencias corporales. Es frecuente levantarse a orinar de pronto, casi en carrera, como si el baño quedara a kilómetros de distancia. El largo tiempo de disociación del propio cuerpo, bloquea la necesidad que luego se percibe de improviso y con precipitación. Va donde está Marina quien ha tenido mejor suerte y en ese momento conversa con la joven mujer que vende empanadas en La Caracola. Siente un leve estremecimiento por la forma en la que arriesga el dinero que tanto esfuerzo le cuesta obtener, pero más se sorprende cuando Marina le dice que el esposo maneja un taxi y entre los dos tienen el negocio de prestar dinero a intereses elevadísimos y que además cambian dólares en el mercado negro.

Decide mudarse a otra máquina; olfateando el aire busca una señal, aspira que su intuición la contacte con la que esté programada para darle el premio. Pero es evidente que no es su día de suerte.

A las cuatro de la tarde se despide de Marina. Siente deseos de descansar en casa. Pero al llegar.

¡Otra vez sin electricidad! Ocho escaleras. Es buen ejercicio, pero no lo voy a hacer.

Entra al auto y enfila hacia El Mirador de la Ballena.

No, a mi casa no voy ¿A qué? La vía hacia El Mirador es bastante empinada y cundida de huecos. Tiene que hacer maniobras para evitar la colisión con un auto que viene a toda velocidad en sentido contrario.

Ese salvaje me ha embestido... Estos taxistas. Cuántos huecos...

El trayecto es corto. A los diez minutos de recorrido llega a una construcción militar sobre un acantilado No le permiten entrar al estacionamiento.

Resulta difícil encontrar lugar donde aparcar en la angosta carretera. Hace malabarismos para detenerse en un sitio donde no obstruya el paso.

Espero que el soldado no me reclame. Creo que aquí estoy bien.

Sale del auto y camina hasta la torre. Al entrar siente un agradable aroma a madera que le produce sensación de familiaridad, de confort, pero a la vez le resulta extraño tomando en cuenta que es un establecimiento castrense. Luego se percata del soldado que anda con un atomizador, regando por los rincones la esencia artificial con olor a pino.

¡Ah! ya me extrañaba…esa esencia artificial es lo que me recuerda el grato y muy genuino aroma del Aula Magna de la Universidad. Comienza a subir los escalones.

Uno dos…Yo no sé para qué los cuento si de pronto pierdo la concentración y olvido por dónde voy… cincuenta… ciento quince…

Al final de cada piso hay un descanso con su puerta lateral que se abre a pequeñas terraza semicirculares. Se asoma, contempla el mar y cruza los brazos sobre el pecho abrazando el aire.

El último escalón conduce a la gran terraza que bordea toda la torre. Trescientos sesenta grados de paisaje. Muy despacio recorre la circunferencia. Bandadas de gaviotas ejecutan acrobacias entre los dos azules de mar y cielo. Se le hace inevitable la asociación con las escuadras de aviones militares sobrevolando en los interminables desfiles que se han vuelto rutinarios. Un ave se desvía del grupo pasándole bastante cerca. Se desplaza sin mover las alas aprovechando el viento que la favorece. Silvia la relaciona con un torpedo al ras de su visión.

Por qué la desagradable asociación con la guerra… Ese ojo fijo, en esa cabeza tan pequeñita…ese párpado sin pestañas ¿Cómo me mirará la gaviota? Pero es que no tiene mirada… solo visión… visión estática, inexpresiva, esos ojos están desprovistos de mirada.

Alejándose, la gaviota da un giro y vuelve a pasar más cerca de ella pero esta vez a escasos centímetros debajo de sus ojos. Silvia fantasea que al dejar su dorso a merced de ella, la gaviota le está dando demostración de confianza o amistad.

A continuación camina por la terraza y recostada del antepecho se entrega al placer de la brisa fresca de la tarde. Fija la vista en el fondo poblado de rocas donde revientan las olas.

Buen sitio para un suicida. O para elevarse hacia el cielo como Remedios La Bella... Que va. La fuerza de la gravedad, las rocas del suelo y los veintiocho metros de altura, me obligarían a un final menos poético que el del personaje de la incomparable Cien Años de Soledad.

Ha llegado a pensar que ése fue el destino de su amiga Rebeca. *Tal vez se lanzó al vacío desde otro lugar menos transitado. Quién sabe qué sopa química se formó en su cerebro que la impulsó a tomar semejante decisión. No era pequeña la angustia por la ausencia de los suyos y la obsesión del juego...*

Permanece en El Mirador hasta que comienza a atardecer. La brisa se hace cada vez más fresca y fuerte. Cierra los ojos e intenta evadir los pensamientos que le dan vueltas. Decide regresar, baja los escalones despacio, con sumo cuidado. Se dirige al automóvil y sigue las indicaciones que le da el soldado para salir del mínimo espacio donde ha estacionado el auto. De regreso a su casa encuentra la vía trancada. Grupos de manifestantes queman cauchos y gritan consignas frente a las oficinas de electricidad por los frecuentes apagones. En lugar de esperar que se despeje el tráfico dobla en la esquina y cambia de ruta. Desde lejos divisa que Laguna Plateada está a oscuras. No quiere subir las escaleras ni someterse al bochorno que la espera en su apartamento sin luz ni aire acondicionado. *Mi lugar está en el casino.*

Al entrar al Bingo del Mar busca a Marina entre las filas de máquinas. El lugar está abarrotado. Empieza a anochecer, a esas horas el bullicio es intenso y se incrementa la clientela. Ve al técnico que repara los ascensores de Laguna Plateada apostando a la ruleta. Más allá divisa a la amiga. Se acerca y le da una palmada, ésta gira la cabeza hacia ella.

—Estoy encantada acabo de ver el dorso de una gaviota muy de cerca, en pleno vuelo.

Marina se queda mirándola con el mismo gesto de susto que le produce el mendigo loco que, escondido detrás de las palmera, sale de improviso cuando el semáforo se pone en rojo y asusta a los choferes en la Avenida Bolívar.

—Yo perdiendo hasta el alma y tú hablándome de gaviotas.

—Es que lo usual es verlas desde abajo y solo observamos su parte ventral. Al menos yo nunca las había visto desde una altura mayor a su altitud de vuelo, a un nivel debajo de mi mirada. Me emocionó verla desplazarse tan cerca, sentí que me transmitió su libertad— dice Silvia y agrega.

—Mira al técnico que arregla los ascensores de nuestro edificio. ¿Quién no es jugador en esta isla? La señora que vende empanadas, el taxista, y me incluyo yo misma—dice ignorando las palabras de Marina.

—Ellos también disfrutan de su derecho.

—Tienes razón. Si la señora de las empanadas quiere malgastar su dinero allá ella, pero el que nos arregla los ascensores lo que hace es robarnos. Los deja maltrechos para que lo llamen con frecuencia. Por eso es el aumento desproporcionado de los gastos de condominio. Pagamos la adicción del señor. Te dejo jugar tranquila. Voy a buscar una máquina.

Se pasea por todo el casino sin decidir cuál jugar hasta que se decide por la de Alicia en El País de Las Maravillas. Al oprimir la tecla, con el primer giro, ve los tres relojes en la pantalla que anuncian quince vueltas gratis de los rieles. *Parece que hoy es mi día.* Cuando se detiene el mecanismo, se da cuenta que el monto del premio es equivalente a quince veces el de la apuesta y se consume, en no más de diez minutos. Introduce un billete de cien por inercia, no siente excitación ni deseos de jugar. La música de fondo es estridente y unida al bullicio de las máquinas le produce inquietud

El hombre que arregla los ascensores hipnotizado frente a la ruleta se está convirtiendo en mi nueva obsesión. Mientras tanto nos suben los gastos. No han valido los reclamos a La Bruja porque es cómplice. Estamos minados de ladrones, cada quien en su parcela...

No soporto el bullicio, mejor termino de perder estos cien y me voy a subir las ocho escaleras.

Se levanta y sale del casino sin despedirse de Marina. Busca las llaves del auto pero se percata de que las ha dejado pegadas con el motor encendido y las puertas cerradas con seguro. Hace tiempo que no le suceden esos olvidos. Hurga dentro de la billetera y toma el duplicado que guarda, desde la segunda vez que tuvo que devolverse en taxi a su casa por lo mismo. Enciende la radio y escucha la voz del comandante «a los cadetes y cadetas que se gradúan hoy en esta honorable escuela militar».

Apaga de inmediato. Decide abrir los vidrios para sentir el aire temprano de la noche, pero el olor a quemado la hace desistir de su propósito; al doblar la esquina ve que aún se elevan hilos de humo de los cauchos chamuscados y quedan muchas brasas sobrevivientes del incendio de los palos, como esperando, en su lenta agonía, que algunas gotas de agua hagan el milagro de salvarlas de su definitiva desaparición. Convertidas en hollín irán, con el viento, a chocar contra las superficies que encuentren a su paso cubriéndolas de tizne.

Es lo queda de la protesta ante la Compañía de Electricidad por los frecuentes cortes de luz. La calle está sola.

En lugar de ir a su casa, hubiera preferido sentarse en una piedra frente al mar, pero de noche resulta peligroso. Todavía recuerda con claridad la noticia sobre los doce brasileños que recorrían en plan turístico un fuerte de la época colonial, fueron atacados por varios motorizados con capuchas y en pleno día los despojaron de sus pertenencias. La Isla no escapa de la voraz delincuencia que azota el país entero.

Antes de subir las escaleras se asoma a la piscina: El viento sopla con vigor y silba entre los árboles. Las palmeras más jóvenes, de tallos todavía endebles, se doblan casi a punto de partirse. La laguna parece una bandeja de plata recién pulida y más allá se desplazan, cual cocuyos a nivel del suelo, los puntos de luz de los automóviles que transitan por la carretera al borde de la playa. Silvia camina hacia las escaleras. ¿Qué remedio?

No está mal. Si sumo a éstos los escalones que subí en el mirador, compenso las horas de sedentarismo pasadas en las tragamonedas.

El secuestro

El monto del alquiler del apartamento en La Capital le alcanza para cubrir con estrechez los gastos esenciales. El rédito del préstamo que al comienzo le permitió cierta holgura también se disipa en los casinos. Y aunque no desea aumentar la renta a la inquilina, opta por consultar con ella y de mutuo acuerdo convienen un incremento que consideran razonable.

El sentimiento de culpa que le produjo representar el rol de usurera también se diluye entre las luces y los sonidos de los salones del casino. Perdió el miedo de quedarse burlada y sin posibilidades de recuperar su capital ya que recibe el pago de los intereses con puntualidad. Es fin de mes, fecha en la que Norma visita a Silvia para entregarle el dinero acordado. Entre las dos mujeres se ha establecido una cordial amistad. Comparten la adicción al juego aunque rara vez coinciden en los casinos. Norma trabaja en el día atendiendo la funeraria y juega durante la noche.

Al recibirla en su casa Silvia se disculpa por no poder ofrecerle café.

—Hace una semana que se acabó el último paquete y hasta ahora no ha aparecido en los mercados.

—Mala noticia porque en mi casa tampoco hay— responde Norma sentándose en el sofá

—Prueba estos alfajores, no las conocía, son argentinos— dice Silvia.

—Prefiero no comer nada, cenaré en el casino...

Este edificio está cada día más deteriorado, no me gusta como pintaron las paredes del lobby con ese color gris horrible. Parecen las de una cárcel. Las prefería blancas.

—A mí tampoco me agrada... ¿Y qué te parecen esos tallos de bambú pintados de amarillo, verde y naranja con extremos afilados que han colgado en las paredes? Parecen puntas de lanzas. Un atropello a la armonía y al buen gusto. Los vecinos dicen que es otra de las brujerías de Cruz para hacerse eterna en el condominio— Pregunta y responde Silvia.

—Si al menos fueran bonitos, pero son espantosos. Amarillo, verde y naranja son colores muy usados por los santeros— dice Norma y agrega mirando el reloj.

—Son las tres de la tarde, a las cuatro es el gran sorteo El Ciclón de la Plata, debo irme porque tengo varios tickets. Amiga, aquí tienes todo lo que me prestaste. No te debo nada. Muchas gracias por haberme ayudado a salir del atolladero.

Al levantarse le entrega el cheque a Silvia y se despiden en la puerta. En el momento de salir tropieza con algo que a las primeras no identifica.

—¡¿Qué es esto?!— Se pregunta.

Ambas acercan la mirada al objeto obscuro que está en el suelo. Silvia lo recoge valiéndose de una pequeña servilleta de papel, para evitar el contacto directo. Se trata de un muñeco de tela negra con lunares morados. En el pecho lleva clavadas tres largas y gruesas agujas de unos diez centímetros de largo. El extremo de las mismas termina en minúsculas esferas de material acrílico en colores amarillo verde y naranja. La almohadilla redonda que hace las veces de rostro lleva adherida, por su parte dorsal, un caracol blanco, dejando expuesta la región ventral de la concha del animal. La hendidura, con los bordes protuberantes y aserrados, semejan unos labios gruesos y entreabiertos. El fondo de la cavidad, donde vivió el bicho está pintado de negro.

—Esto es brujería, esto es vudú y viene dirigido contra mí — dice Silvia.

—Tú, como antropóloga debes saber de estas cosas.

—Claro, pero es que eso lo sabe cualquiera.

El muñeco tiene por ojos dos enormes lentejuelas plateadas muy brillantes, con una diminuta pieza de canutillo negro en el centro. Carece de nariz y la cabeza está cubierta de bucles castaños.

—Estos bucles representan mi pelo. No está mal— dice Silvia.

—Cuidado Silvia, es una brujería.

—Déjate de vainas yo no creo en eso. Seguro que es otra de las tantas artimañas de la supuesta hechicera para amedrentarme. Despide a Norma se sienta pensando qué hacer. Respira profundo y llama a Eleonor para que la acompañe hasta la administración. Necesita testigos... Con el muñeco en la mano entra a la oficina. Allí está La Bruja en compañía de Esperanza. De pie en la puerta Silvia dice blandiendo el monigote:

—Restituta: No le temo a estas cosas. Seguiré señalando las irregularidades que observo en la administración del condominio. Con estos ridículos objetos usted no me va a amedrentar.

La mujer, enfurecida cuando escucha que la llaman por su verdadero nombre, se levanta de la silla, acercándosele, la hala por el brazo y a empujones la introduce en la oficina cerrando la puerta y hundiendo el seguro que impide abrirla desde fuera. De inmediato le baja la franela. El tirante del sostén rueda por el hombro derecho dejando al descubierto la mitad del pecho, la copa del sujetador le queda justo debajo del pezón. Le ordena a Esperanza que llame a Rosendo Peña, el tesorero de la junta, para que se haga presente. La secretaria cumple el mandato.

Silvia descubre, en ese instante, mientras se acomoda el sostén, que es capaz de percibir las palabras con todos los sentidos. Como si se tratara del vaho pestilente que brota de la alcantarilla de un presidio, respira la ristra de groserías que arroja la furibunda mujer. En desproporcionada expresión de ordinariez, La Bruja, esgrimiendo el antebrazo izquierdo, con el puño cerrado y colocando el borde de la mano derecha en la región interna del codo le señala la medida del descomunal miembro que, según ella, necesita Silvia. Y chillando le dice:

—Uno así y de este tamaño, bien gordo, ¡pero de un negro!, eso es lo que necesitas para que te tranquilices, para que se te quite la maña de criticar todo lo que hago. Cualquier sicario se encargará de sacarte del camino. Ya verás...

Siente la piel ardida. La voz de la mujer le produce el mismo efecto que el roce de una ortiga de mar.

Tocan la puerta, Restituta abre y hace pasar a Rosendo, quien le aconseja calma a la mujer. Entre el odio y la náusea, Silvia percibe que un líquido amargo y quemante le sube por el esófago hasta la garganta. Es el desagradable sabor de la hiel. Le pide al hombre que interceda ante La Bruja y le permita salir del encierro, pero éste haciendo que no la escucha, da media vuelta y se apura en salir. La Bruja está delante de la puerta amurallando la salida y le dice a Rosendo cuando se va:

—¡Ya viste!, aquí la tengo mansita y jodida.

Conteniendo los deseos de vomitar mira sobre una silla el galón de pintura blanca que va a ser usado para pintar las rejas del edificio. Silvia lo imagina estrellado contra la voluminosa humanidad de su agresora pero no posee la fuerza para levantarlo. Simula tropezar con el bote que rueda estrepitosamente provocando el derrame del líquido aceitoso por el piso. Retrocede hasta el espacio que, por el desnivel del suelo, se ha salvado del reguero de pintura; sin embargo sí llega hasta las sandalias doradas de La Bruja. Tal cual una grabación en cámara lenta, chapotea sobre el charco blanco tratando de salirse. Igual que un descomunal y obeso pingüino sobre la nieve. Semejante al personaje de una mojiganga.

El intencional accidente deja a todos perplejos. Un fogonazo de raciocinio ilumina la mente de Silvia con la sutil figura de Crisantemo y sus sabios consejos sobre la flexibilidad y el autocontrol.

«La rama verde se mueve al compás del viento, la rama seca resiste y se quiebra con el soplo del aire».

Silvia toma aliento, mirando fijamente a la mujer abre los brazos en cruz y susurrando le dice:

—Estoy en tus manos, eres más fuerte que yo.

Los rayos del sol inciden sobre las lentejuelas que hacen las veces de ojos en el muñeco y que aún sostiene en la mano produciendo destellos. Pereciera que parpadean, que están vivos.

El hambre de obscenidades de La Bruja no se satisface. Lo que quiere es completar el plato con una buena bofetada en aquel rostro de piel tan fina y transparente. Al ver que el ambiente se caldea cada vez más. Esperanza siente miedo de verse envuelta en un lio de mayores proporciones. Es usual para ella oírle proferir amenazas de muerte a su «jefa» entonces con la voz quebrada le ruega que la deje salir. Para cumplir su petición, abre un pequeño espacio y la deja pasar. Es entonces cuando Silvia piensa aterrada en el riesgo de quedarse a solas con el monstruoso personaje y aprovechando su delgadez y agilidad da un salto, propio de un canguro, logrando esquivar el lago de pintura; se «cuela» entre el marco de la puerta y el robusto cuerpo de Esperanza, contrae los músculos todo lo posible y se queda encajada en la angosta abertura. Intenta hacer igual que los ratones al pasar por las rendijas. Los había visto de niña, cuando iba al campo de vacaciones, atravesando los espacios entre el suelo y el borde de las puertas. Pero La Bruja, en otro arranque de ira, la agarra por los brazos y le clava las uñas desgarrándole la piel. Silvia logra liberar un brazo y aferrándose con fuerza al de Esperanza consigue sacar la mitad del cuerpo.

El forcejeo llama la atención de las personas que en ese momento están entrando al edificio, quienes se detienen a observar. Silvia les pide ayuda quejándose a gritos:

—¡Me tienen secuestrada!—

Por fin, la carcelera afloja los dedos y Silvia puede escapar con los brazos sangrantes, poniéndole punto final a esta tragicomedia.

La gente sigue en la puerta sin decir palabra. Entre ellas la señora Eleonor quien ha escuchado la sarta de inmundicias.

La mujer se desploma con todos sus excesos corporales en la silla reclinable, el sudor le corre por los estrechos canales, que como acequias, le marcan el rostro. El enfrentamiento con Silvia la conecta con la historia lejana que llega a su memoria:

«Si me vuelves a llamar puta te voy a arrancar los cabellos» respondía al grupo de muchachos que coreaban: «Restituta es una puta».

Siempre sintió vergüenza de aquel nombre, tanto que su madre habló con la directora del colegio para que la llamaran por el segundo «De la Cruz», a partir de allí las maestras le dijeran Cruz a secas pero los secretos suelen filtrarse y aquellos muchachos del sexto grado se divertían haciéndola rabiar. Por eso más de uno se vio sometido y con un mechón de pelo menos. Su andar por la educación fue lento y tuvo que repetir grado en dos ocasiones.

Su niñez transcurrió muy cerca del prostíbulo que regentaba María Rosa, la hermana de la madre. Allí llegaban individuos de todo pelaje. Entre ellos un marino mercante, de origen canadiense, que se quedaba a dormir con la dueña del local; privilegio que no concedía a cualquiera. Aquel domingo en la mañana, la sobrina fue hasta la casa de la tía a buscar huevos para el desayuno de sus hermanos. El hombre, quedó prendado de la belleza salvaje de la joven que recién había cumplido quince años. Se casó con ella, le compró una casa y tuvieron tres hijos. Al firmar en el libro de actas de matrimonio lo hizo como R. De la Cruz Bonilla. Después de casada cambió con mucho orgullo a R. De la Cruz de Trout. Se vanaglorió de llevar el nuevo apellido extranjero hasta que supo su significado. No le hacía ninguna gracia apellidarse con el nombre de un pez. La unión duró cinco años. Al divorciarse, ella se quedó con la casa que después vendió para mudarse a Laguna Plateada.

El primer paso a seguir por Silvia, después del atropello sufrido, es ir a la Fiscalía a presentar la denuncia; va acompañada de Eleonor. La gran sorpresa la tiene cuando el funcionario de la recepción le dice que si la ha agredido una mujer no aceptarían la denuncia, que es necesario que esté involucrado un hombre «pelea entre mujeres no es violencia de género y la fiscalía tiene cosas más importantes de qué ocuparse».

—Está bien, escriba ahí que en la agresión también participó el señor Rosendo Peña Mata.

Él también participó con su presencia y no hizo nada por evitar que la mujer me mantuviera secuestrada. Su mirada de pervertido es de por sí un acto de agresión...

Cuando la Secretaria de la Fiscalía Tercera toma la respectiva declaración le hace la advertencia de que el señor Rosendo no está implicado porque «las agresiones son personalísimas» y él no la agredió. Remite a Silvia al departamento forense que funciona en el hospital situado al cruzar la calle. Tiene que esperar al día siguiente porque ha entrado la tarde y ya han cesado en sus labores.

A primera hora el portero la deja pasar al local, estrecho y de escasa iluminación, donde funciona la oficina del forense. Olvida llevar sus *poemarios de emergencia*; toma un periódico amarillento y apenas lo abre se le dispara una seguidilla de estornudos que la obliga a devolverlo a su lugar.

En el espesor de la capa de polvo del piso se podrían hacer dibujos.

Poco *tiempo* después llega la doctora. Se trata de una mujer próxima a los cincuenta años, de rostro severo y pisada firme. A Silvia le simpatiza. Al menos en apariencia parece ser profesional en su materia. Lo primero que le dice es que lamenta no tener cámara fotográfica, imprescindible para la prueba de las lesiones y le pide disculpas por la suciedad del salón. Le recomienda hacerse las fotos que muestren las heridas antes de que empiecen a cicatrizar. Toma entonces una hoja de papel y redacta el informe de puño y letra. No hay ordenador en la oficina.

Posteriormente, es remitida al Cuerpo de Policía Judicial donde el comisario Tejera la interroga exigiéndole que diga exactamente y sin omisiones ni eufemismos las obscenidades y amenazas de las que fue víctima. Escribe lo que escucha, dejando constancia, con todas su letras, de los insultos y agresiones físicas recibidas. El policía le pregunta si sabe utilizar la computadora, ante su respuesta afirmativa le solicita que le corrija los errores ortográficos del informe y «ponga allí lo que a mí se me puede haber pasado por alto. Yo conozco a esa mujer, le ha hecho daño a mucha gente y hasta ladrona es. Todos en La Isla lo saben».

Silvia lee el informe y enmienda los errores gramaticales, tal como le ha solicitado el comisario.

Restituta es imputada. Más tarde procede la acusación; pero es necesario esperar el transcurso del tiempo para comprobar lo que todos dicen: «La justicia, además de ciega es una pobre anciana paralítica».

A Silvia no le parecen suficientes las denuncias ante las autoridades y decide acudir a los diarios más leídos de La Isla. Allí es entrevistada y sus fotos salen publicadas. Adquiere veinte periódicos, recorta el reportaje del suceso y lo pega en las paredes y dentro de los ascensores.

Nadie se le aproxima para manifestarle solidaridad, los vecinos la saludan por los pasillos con mirada de conmiseración, pero ninguno quiere sentirse comprometido.

Es Celeste, la joven que vive en el tercer piso con su pequeño hijo, quien se le acerca y la invita a su casa. Le dice que no le extraña la actitud de los vecinos «todos le temen a ese monstruo. Nadie se le enfrenta, no solo por superstición sino por lo que es capaz de hacerle a los bienes de sus enemigos». La muchacha prepara yogurt artesanal en su propia casa. La empresa distribuidora de filtros de agua donde trabajaba, cerró sus puertas y se marchó del país, entonces se le ocurrió la idea de hacer el producto que reparte a domicilio. Anda en motocicleta y visita a su amplia clientela que ha captado entre los empleados de bancos y negocios de varios centros comerciales. Con los ingresos que obtiene apenas le alcanza para vivir. También ha tenido que denunciar a La Bruja por insultar al muchacho llamándole mariquita y acusarlo de haber destrozado los jardines. Es de las pocas personas que no le teme ni cree en los poderes mágicos de La Bruja y le ofrece todo su apoyo.

—No entiendo como Marina, siendo tan amiga tuya permanece indiferente. Es muy egoísta—reclama Celeste.

—Ella no toma partido en nada que no le reporte algún beneficio. Además no está dispuesta a correr riegos, la entiendo. Es así— responde Silvia.

Celeste quiere expresar su respaldo, piensa que hay que tomar alguna acción para reprochar el ataque a su vecina. Habla con algunos propietarios, entre ellos el joven abogado que redacta un comunicado de apoyo. Cuando se lo presentan, Silvia lo agradece pero al preguntar quiénes lo firmarían, la única que está dispuesta a hacerlo es Celeste y la señora Eleonor. Los demás están de acuerdo en pegarlo en las paredes sin responsabilizarse por el escrito. Silvia, sonriendo les da las gracias y devuelve el papel.

Están dominados por el miedo. Los comprendo. Nadie quiere que le destrocen el automóvil

Esto hay que contarlo
(2013-

La muerta era yo

Silvia no se recupera aún del shock ocasionado por las agresiones de La Bruja. El repique del teléfono a las seis y treinta minutos de la mañana la sorprende despierta. No suele levantarse después de la salida del sol, sin embargo le causa cierta inquietud esa llamada a tan tempranas horas. Escucha la voz que no reconoce:

—¿Es Silvia?

— Sí.

—Disculpa que llame tan temprano, pero ayer lo hice a las diez de la mañana y nadie respondió. Soy Magda Aray... Me urge hablar contigo.

Las gemelas Magda y Rebeca eran casi idénticas, pero el lado izquierdo del labio superior de la última lucía ligeramente más angosto que el derecho, lo cual disimulaba extendiendo el maquillaje fuera del borde para producir efecto de simetría. Sus pupilas eran de un tono más claro que las de Magda. Cuando estaban juntas era fácil diferenciarlas, pero al verlas separadas, cualquiera podía confundirlas.

Silvia fue compañera de aula de Rebeca durante toda la secundaria. Compartieron cinco años de estudios, en los cuales se forjó su profunda amistad. La otra gemela, por exigencia de los padres, era ubicada en una sección distinta, a fin de que hicieran vidas independientes y construyeran su propio círculo de compañeros.

En cuanto al carácter, existían notables diferencias. Rebeca era extrovertida, rebelde, muy generosa y le encantaba estudiar en grupo para los exámenes de evaluación. Por el contrario Magda era bastante reservada, más bien tímida.

Como en una red lanzada al océano de la memoria Silvia intenta atrapar esta parte de su pasado, pero las redes no son selectivas: Junto con los recuerdos también son arrastrados los mismos sentimientos de antipatía que albergaba hacia Magda cuando era adolescente. Recuerda que era poco generosa, por no decir tacaña y nunca se sumó a ninguna causa estudiantil reivindicativa: Reclamar, por ejemplo, determinada decisión de las autoridades del colegio que el grupo considerara inapropiada. Magda no era capaz de asumir posiciones que implicaran compromiso. Las gemelas ocupaban dos polos y muy de vez en cuando confluían en el centro.

Escogen para el encuentro un pequeño y discreto café en Los Robles. Silvia llega media hora antes y se acomoda en una mesa. Pide agua mineral y croissant de chocolate que engulle con ansiedad. Se dispone a leer el periódico pero siente que por algún extraño artificio las palabras escapan y se van hasta la puerta del local, burlando su atención. Ella las rescata dirigiendo la mirada de nuevo hacia la página, pero es inútil. No puede concentrarse en la lectura. Solo mira el lugar por donde espera que entre Magda.

La gemela llega justo a la hora. Alaba a Silvia por lo bien que luce y comienza a hablar del calor y del tráfico. Llama al camarero para pedir una Coca Cola con hielo.

—He querido hablar contigo porque debo explicarte algo. La persona que viste hace varios años frente al supermercado era yo y…

Silvia interrumpe:

—Cinco años…aproximadamente cinco años. No lo olvido: fue el 12 de mayo de 2008

Silvia toma agua para hacer una pausa que le ayude a procesar tan ridícula confesión.

—¿Y cuál fue la razón para hacer tamaño teatro y fingir que no me conocías? Yo te confundí con Rebeca.

—Sí me di cuenta de tu confusión pero mi desconcierto, cuando te acercaste, fue tal que no supe qué decir. Sentí un gran bloqueo… y escapé. Todos estos años he estado muy afectada porque sé cuánto apreciabas a mi hermana. Rebeca no hubiera aprobado esta mentira. Fueron muchas las veces que quise hablar contigo, pero es que hay un impedimento para hacerlo.

Mi hijo desconoce que he venido a hablarte y te ruego que me guardes el secreto. Desde aquel día no había querido venir a La Isla. Ignoraba que te habías venido a vivir aquí, precisamente vine en época de temporada baja para no encontrarme con conocidos. El motivo de mi viaje fue firmar la compra de un apartamento. En realidad es de mi hijo pero no es conveniente que esté a su nombre.

—Ah, actúas como testaferro.

Lo que calló Magda, al ser abordada por la confundida Silvia en aquella ocasión, frente al supermercado, fue que Rebeca falleció en la Clínica del Espíritu Santo después de dos meses de hospitalización.

Salió del Dumbo con el cansancio de haber estado casi doce horas alternando las tragamonedas con la ruleta y el Black Jack. Por lo general el jugador tiene preferencia hacia un determinado tipo de juego, pero Rebeca era muy flexible en cuanto a sus gustos lúdicos. La suerte era huidiza y al lograr una pequeña ganancia, la apostaba de nuevo para, infructuosamente, recuperar lo perdido. Se fue del casino abatida y con la cartera vacía. Eran las dos de la madrugada y al cruzar la calle para tomar el taxi, fue arrollada por un auto que se desplazaba a gran velocidad, dejándola inconsciente en el pavimento. Fue auxiliada por algunas personas que la llevaron al hospital. Con la voz apagada Magda dice:

—Temprano en la mañana nos avisó el conserje que las autoridades se habían presentado a su residencia para dar la noticia y preguntar por los familiares, él les prometió comunicarse con nosotros. Para colmo, nadie vio la placa del carro, ni siquiera pudieron decir el color o la marca del mismo. Expresaban que por la gran velocidad con que iba no fue posible identificarlo.

—Vivimos una época representada muy bien por esos monos de yeso que venden en las quincallas: Uno se cubre los ojos, otro los oídos y otro la boca… No veo, no escucho, no digo. Es nuestro estado de miedo e indolencia—dice Silvia alterada.

En esa oportunidad, Magda tuvo que esperar hasta el día siguiente para viajar desde La Capital en el último vuelo de la noche. Lo consiguió gracias a las influencias de su hijo Víctor, alto funcionario de la petrolera estatal. Donde también se desempeñó, como ingeniero de sistemas, Ricardo el hijo de Rebeca. Éste perdió el empleo cuando se sumó a las protestas anti gobierno y quedó cesante junto con otras decenas de miles de trabajadores. Emigró a Panamá con su esposa y su pequeño hijo.

—Mi hermano y yo le enviábamos dinero a Rebeca Y de vez en cuando Ricardo se las ingeniaba para remitirle, con algún conocido, dólares que ella cambiaba luego en el mercado negro. Pero no soportó la soledad y el aislamiento y se refugió en el juego. Fue adquiriendo deudas y nuestras ayudas económicas eran vaciadas en los casinos. Para mí fue terrible encontrarla en aquella cama de ese inmundo hospital público, sin sábanas, con fractura en la pelvis y una herida profunda en el pómulo derecho, además de las contusiones generales. Decidí llamar a mi hijo para que se viniera de inmediato a La Isla.

Él me tiene incluida en la póliza de salud que contrata la petrolera para sus empleados. Entonces a Víctor se le ocurrió ingresar a Rebeca en la Clínica del Espíritu Santo con el nombre mío. Después de tres semanas de hospitalización ocurrió lo que no esperábamos. Murió a consecuencia de una infección pulmonar. Creo que no deseaba seguir viviendo. Ante esta situación corríamos el riesgo de meternos en graves problemas por suplantación de identidad y estafa a la compañía de seguros. En el acta de defunción de la clínica figuraba el nombre mío que fue el que se dio al ingresar a Rebeca. Así pues que la muerta era yo.

Si eso se hacía público, los enemigos de la revolución lo habrían aprovechado para formar el gran escándalo. Entonces mi hijo le contó todo a Ramsés Rapiña, el presidente de la petrolera, quien terminó tranquilizándolo con un «no te preocupes chico, haz los trámites como si la muerta fuera tu madre, la compañía de seguros pagará todos los gastos y asunto concluido. Procura que nadie lo sepa. Tu madre seguirá usando su misma cédula de identidad para los asuntos personales y votará en las elecciones sin ningún problema. Su supuesta muerte solo está registrada en la clínica y en el cementerio y esos registros desaparecerán lo más pronto posible. Dile a las amistades que tu tía Rebeca desapareció y no se supo más de ella. Nadie tiene por qué saber que está enterrada en La Isla y sin lápida que la identifique». Ya podrás darte cuenta, estuve muerta y enterrada. Tenía que decírtelo y por favor te pido nuevamente que me guardes el secreto.

—¿Haces este mismo teatro con todos los que te confunden con Rebeca?—Dice Silvia.

—No, nadie me ha confundido con ella y si pasara yo aclararía la situación, diría que mi hermana gemela sigue desaparecida, que no se sabe nada de su paradero. Contigo me fue imposible hacerlo.

—¿Por qué en lugar de falsear la identidad, tu hijo más bien no solicitó ayuda monetaria a la empresa? Sé de funcionarios importantes a quienes les han ayudado hasta con trasplantes de corazón en el exterior y todo lo ha pagado el «papá gobierno». Tu hijo forma parte de esa cofradía y...

—Sí, pero recuerda que Rebeca y su hijo son reconocidos enemigos de la revolución. Existe un registro de sus nombres y cualquier gestión para favorecerlos sería bloqueada cuando se supiera, a niveles más altos.

Un denso y breve silencio se interpone entre las dos mujeres. Silvia mira hacia afuera. El viento arrastra las hojas secas en pequeños remolinos. El cielo se obscurece de repente amenazando con aguacero. Silvia le dice a Magda que es mejor marcharse antes de que empiece a llover y se inunden las calles. Insiste en pagar la cuenta y se despide con un fingido y helado abrazo.

Cómo es posible que no me diera cuenta del engaño. En realidad la mujer que confundí con Rebeca era más delgada, tenía la misma contextura de Magda. Lo difícil de distinguir entre las dos era su peculiar manera de andar. No he conocido a otras personas que caminen con ese inconfundible movimiento pendular de las caderas... Sigue siendo igual de tacaña. Han podido pagarle la clínica con su propio dinero, sin necesidad de hacer semejante trampa.

La asamblea del miedo

Llega el esperado día de la asamblea anual de propietarios para elegir la junta de condominio. Todos saben que La Bruja continuará al frente de la presidencia y Rosendo será el tesorero lo mismo que tres años antes. En el lobby del edificio se encuentran alineadas treinta sillas y frente a ellas un mesón con tres asientos en donde reposan los traseros de Restituta, Rosendo y Yurvelis del Valle Salazar. Abogada, esta última, que hace las veces de secretaria de actas de la asamblea. No trabaja en el campo de su profesión. Más rentable que ejercer el derecho le resulta administrar la tienda de objetos de santería que ella misma trae de Cuba, adonde viaja dos veces al año. Los vende a los detallistas y adeptos que han proliferado en La Isla. Es novia de un jefe segundón de la policía a quien le pide que envíe dos agentes bajo sus órdenes para que estén presentes en la reunión. Resulta tragicómico ver a los propietarios, con sus miradas ansiosas y sin atreverse a preguntar qué hacen dos hombres armados en una reunión doméstica, paseándose por los espacios con gesto severo. Para Silvia se trata de un acto arbitrario, de otro abuso de los personajes sin escrúpulos que se han adueñado del lugar donde ella vive y que no está dispuesta a seguir tolerando.

¿Qué cuidan los policías? ¿A quién intentan atemorizar?

Se dirige hacia ellos sin decir palabra, lee sus nombres en las placas que llevan a un lado del pecho y toma nota en una pequeña libreta. Molesta por lo que considera el mayor acto de provocación de Silvia, La Bruja frunce el ceño. Se seca el sudor con la toallita de papel, olorosa a perfume barato, que toma de una pequeña caja azul donde se lee Toallas Mimosa, en letras rosadas. Nubes de mosquitos invaden el salón al mismo tiempo que comienza a lloviznar. La gente se pone de pie y algunos manifiestan su deseo de abandonar la sala. Rosendo sube hasta su casa de donde trae un ventilador. Lo coloca sobre la mesa. El giro de las aspas, si no alivia el calor, al menos ahuyenta los insectos. Enseguida comienza a presentar cuenta de las «grandes obras» que han realizado con los mejores presupuestos que encontraron en el mercado y negociando precios que resultaran menos onerosos para los propietarios. Los asistentes se miran entre sí con incredulidad, pero guardan silencio.

Silvia se levanta y pide derecho de palabra que le es negado. Celeste y Eleonor protestan porque quieren escucharla, se suman otras personas y haciendo caso al coro de voces que pide que hable; se pone de pie y levantando la voz comienza a leer un escrito donde explica la forma en que fue agredida por la presidente del condominio. Informa también de las denuncias que ha realizado ante las autoridades y dice que tales conductas la inhabilitan para estar al frente de la junta. Los propietarios gritan: «No queremos a esta gente. Fuera policías armados de la reunión, ¡que se vayan todos!»

En ese momento La Bruja, bañada en sudor, saca de su enorme cartera una bolsa plástica que abre y sacude sobre la mesa desparramando varias hojas dobladas sobre sí mismas y comienza a desplegarlas, de una en una pero sin mostrárselas a nadie.

—Aquí tengo setenta y cinco poderes, de personas que sí quieren que continúe al frente del condominio, así pues, yo aquí me quedo... Yo me quedo aquí porque esta residencia estaba llena de putas que traían los canadienses, italianos y ricachones de La Capital, cuando venían de paseo. Usaban los apartamentos para vivir sus vagabunderías y si no hubiera sido por mí todavía estuvieran por ahí formando escándalo y fumando yerba. Yo he salvado a esta comunidad, igual que ha hecho nuestro amado comandante con el país. Eleonor y Silvia intercambian miradas de asombro ante lo que escuchan.

La reunión termina abruptamente. La mujer recoge los papeles y al grito de «viva mi comandante, carajo. Sepan que yo estoy con él hasta el dos mil treinta...hasta la muerte». Se levanta del asiento, toma otra pequeña toalla, la pasa por la frente y el cuello, con breves toques seca el sudor que vuelve a manar sin contención. Ignora que no tendrá que esperar mucho tiempo para enterarse de que su comandante, rígido y frío como una barra de acero, será colocado dentro de un ataúd. Donde será exhibido, tal cual hacen con los animales disecados en los museos de ciencias naturales.

Arengados por Silvia un grupo de propietarios acuerdan enfrentar a La Bruja y demandarla ante el Tribunal del Municipio. Solicitan la nulidad de la asamblea por falsificación de poderes. El abogado Martínez, ex juez, ya jubilado y de avanzada edad se ofrece a representarlos. Sin cobro de honorarios.

> Querida prima:
> Gracias a Dios y a Bill Gates puedo hablarte aunque no me oigas.
> Te he llamado a todas horas y la respuesta de la contestadora que, con tu inconfundible voz, me dice: Hello, nobody can take your call right now. Please, leave your message after the tone, aumenta la concentración de impotencia que, en lugar de sangre, es lo que me circula por las venas. Imagino tu sonrisa al leer mis exageraciones... Debido a mi estado de ánimo (convengamos en llamarlo crítico) no puedo esperar tu llamada hasta el domingo, así pues, tendrás que conformarte con este monólogo y no podrás interrumpir para hacer preguntas como te gusta...
> Sabrás que se realizó la prometida asamblea para que La Bruja rindiera cuentas y se constituyera una nueva junta.
> Pero, como era de esperarse, la mujer y sus aliados se quedan otro año más. Ya te contaré lo que me dijo mi vecina Eleonor sobre las trampas

que hacen estos delincuentes para permanecer en el condominio.

¿Qué condena pesa sobre estos pueblos de América Latina que cuando creemos que hemos transitado un buen trecho del camino entre el atraso y el progreso, de un empujón nos devuelven al principio? ¿Será que se cumple la tan discutida idea del eterno retorno? ¿Que los acontecimientos históricos se repiten infinitas veces? Dios nos libre. ¿Cómo es posible que hayamos sufrido este retroceso? El personaje de Doña Bárbara, representante de la barbarie en la novela de Rómulo Gallegos, está viva. La veo calcada en esta doña urbana, en quien confluyen el salvajismo, la ignorancia y la ordinariez.

Sé cuanto amas esta tierra y que tu permanencia en Washington no te agrada del todo, que lo haces por ayudar a Mónica con el bebé. Sin embargo, yo sí hubiera preferido nacer en un país nórdico y que cuando me preguntaran mi lugar de nacimiento, pudiera decir: Noruega.

Y para finalizar, te envío este breve poema. A ti, mi única lectora.

Nicho

Vivo en la morada
del límite
Mi pecho
sólo inspira
No hay espacios que distraigan
en la circunferencia
sin radio
donde habito.

Una tumba en el mar

¿Qué esperaron durante estos años las cenizas de Álvaro en una vasija de cedro en el closet? ¿En qué fragmento de estos restos habitaron las emociones y afectos de mi hijo? Su esencia, la que hizo de él aquel soñador entusiasta y amoroso fue fundida por el fuego y transformada en humo se desvaneció en el aire. Tal vez lo he respirado en algún momento o me ha corrido por la piel en las gotas de un impertinente e inesperado chubasco. Lo que guardo aquí son los minerales del esqueleto calcinado de mi hijo. Ni siquiera el material genético que podría probar que soy su ancestro, existe ya. Se ha transformado en otra cosa.

Silvia sabe que tiene que darles su destino definitivo, pero cada vez que lo piensa surge la duda del dónde. Esa tarde mientras ordena la casa escuchando música, un pensamiento da origen a la eclosión de otros.

La fotografía del niño en la playa con la mirada puesta en el cielo, la pasión de Álvaro por el mar. Mi deseo de venirme a La Isla, el paraíso de paz que descubrí en El Mirador son coincidencias más que suficientes para concluir que ese mar que me rodea será el destino final de su infinita ausencia.

Abre el pequeño closet. Al lado del estuche con las cenizas están los libros antiguos, debidamente protegidos, que pertenecieron al abuelo y que algún coleccionista quiso comprarle en cierta ocasión. También hay una caja esmaltada amarillo girasol. El centro de la tapa tiene un pomo laqueado en negro que hace las veces de tirador.

Saca tres sobres repletos de fotografías de paisajes submarinos. Siente un mordisco en el estómago y las deja de lado. De otro sobre asoma el borde de una imagen ampliada, la toma y no puede contener la risa: Se trata de una odalisca larguirucha y huesuda de seis años, de una bailarina árabe que posa con postura forzada ante la cámara Muy graciosa era Beatriz. Fue grande la ilusión de ese día de navidad cuando la vistieron con el atuendo, que con tanta vehemencia le había pedido a su madre, al ver un espectáculo de danzas orientales en la tele. Silvia no logró convencerla de que no era el traje adecuado para vestir en esa fecha y que lo mejor sería esperar el carnaval. De tanto insistir fue complacida y cantó aguinaldos y abrió regalos frente al árbol con su apreciado traje. También encuentra el dibujo de un barco en una hoja tamaño carta que ocupa casi todo el espacio del papel y tres gruesas líneas curvas en color azul en el margen inferior de la hoja, representando el mar. Con este dibujo. Beatriz participó en un certamen para niños en el crucero que realizó junto con su madre y hermano por las islas vírgenes. La larga conversación que sostuvo con su hija para que aceptara que su diseño, sin dejar de ser bello, podía ser mejorado no resultó productiva: «Es el más lindo» fue su respuesta y salió corriendo. Recuerda con lujo de detalles las gracias de su hija. De esa manera se defiende del dolor de evocar al que ya no está, ni ahora ni nunca. Deja en el mismo lugar la pila de fotografías que hizo Álvaro en sus viajes submarinos y que le mostrara con tanta emoción después de sus frecuentes incursiones por ese mundo acuático que le cautivó. Eran tan diferentes los dos hermanos... Lo que resultaba comprensible para uno, para la otra era motivo de conflicto. Preocupada por criar a sus hijos con trasparencia, y en un acto protector para evitarles futuros desengaños, decidió decirles la verdad sobre los presentes que les traía el Niño Jesús. «Somos los padres los que traemos los regalos».

Lo que fue aceptado por Álvaro provocó gran rabieta en Beatriz, quien no aceptó la sinceridad de su madre y más de una vez le recordó lo mal que había hecho en quitarle la ilusión. En otra oportunidad hubo que aplicarle una inyección y ante la pataleta de la niña que se negaba a que el doctor la tocara, Silvia la tomó en brazos y queriendo darle confianza y transmitirle calma, le dijo que ella misma la inyectaría con todo cuidado. Cuando sintió el pinchazo, giró la cabeza y vio la mano del doctor retirando la inyectadora de su maltratada nalga. En esta oportunidad, su madre tampoco se salvó de la acusación. Daba igual si mentía o decía la verdad. De todas maneras la niña se rebelaba.

Tomar la decisión de regar las cenizas en el mar le produce alivio. En ese momento se percata de que va a cerrar el ciclo que, sin proponérselo, permanece abierto como una llamada en espera.

A las siete de la mañana y en compañía de Marina y de Eleonor, se dirigen hasta El Muellecito. El Viejo Pablo, conocido pescador de La Isla, saca el estuche del auto y lo coloca en la pequeña lancha. Las tres mujeres suben a la embarcación navegan un rato mar adentro y mientras la lancha da la vuelta a mínima velocidad para regresar al muelle, Silvia y Marina toman el estuche y entre ambas vacían el contenido en las aguas, mientras Eleonor va depositando nardos y rosas sobre el agua.

Es más hermoso que colocar una corona de flores inmóviles sobre la lápida fría.

Sentadas después en la orilla, sobre un viejo tronco, miran como el mar devuelve las flores en silencioso baile, marcado por el ritmo de las olas.

Mientras Silvia y Marina se levantan sacudiéndose la arena, Eleonor reza en silencio.

Esa noche busca el sobre con las fotografías submarinas tomadas por Álvaro y recostada en el sofá, las contempla todas hasta que el sueño la vence.

La justicia anda en silla de ruedas

Se ve sentada frente a la pitonisa que saca un mazo de cartas de una caja muy antigua. Toma la baraja que Silvia, estremecida por el miedo, no se atreve a ver. La adivina la observa con expresión de extrañeza y señalando la figura le pregunta «¿Quién es esta mujer?» Ella, sin responder nada gira la cabeza hacia la ventana y ve siete pájaros blancos chapoteando en un estanque. En otra escena se encuentra girando descalza sobre el suelo desnudo; desde el fondo escucha la voz que repite «¿Quién es?» Percibe un penetrante olor a sangre. Ve una casa y a la mujer que se le acerca entregándole una niña. Con la recién nacida en brazos corre hasta la puerta, en ella hay un papel en el que se lee la palabra «clausura» y lo arranca con violencia. Desde que amanece se siente excitada...

¿Será un sueño premonitorio?

Recorre inquieta el pequeño espacio de su apartamento. Le agrega agua a la planta que está en la mesa del comedor, limpia las hojas con un paño, luego ordena los cojines del sofá... En el mismo closet donde estaban los restos de Álvaro guarda dos pequeñas maletas y un bolso de viaje que permanecen en el olvido y sin ninguna intención de ser utilizados. Saca todo e intenta remover el polvo. Antes no había contemplado planes de viaje porque Beatriz tampoco daba señales de quererla cerca. Pero se produce la llamada portadora de buenas nuevas, su amada y voluble hija le anuncia que está embarazada y la invita a estar presente en el parto.

Las dificultades para salir del país crecen día a día. No hay emisión de pasaportes por la escasez de papel. Las líneas aéreas han reducido sus vuelos.

Afortunadamente el banco me devolverá pronto el monto restante de mi capital secuestrado.

Se prepara para ir a la agencia de turismo a tramitar la compra de los pasajes, quiere hacerlo con suficiente antelación previendo los obstáculos que puedan presentarse.

La posibilidad de ir a España y ver nuevamente a Beatriz hace tambalear los cimientos del refugio que Silvia construyó en los casinos de La Isla. Una ráfaga de esperanza desplaza la obsesión por las tragamonedas. Un nuevo aliciente zarandea el letargo de vida que lleva. Sin embargo la ronda cierto temor, que no carece de fundamento; está cansada y con Beatriz nunca se sabe... Carece de la energía de otros tiempos para enfrentar sus giros de ánimo. No aspira que la reciba con una cursi pancarta que diga «bienvenida mamá» ni suspira por un fuerte apretón y un te «he extrañado mucho». A lo peor será recibida con un abrazo resbaladizo semejante a una pista de hielo. Pero ni siquiera esta triste imagen que le llega a la mente hace decaer el interés por viajar. ¿Qué son esas minucias ante la milagrosa certeza de que su hija vive? Porque si nacer es un acto milagroso, conservar la vida es para Silvia el milagro mayor. Nadie mejor que ella para valorarlo en toda su dimensión.

En la agencia de viajes hay gran bullicio. Se sienta mientras espera que se desocupe alguna de las cinco empleadas que atienden a los clientes. Cuando le toca su turno, escucha con desconsuelo las palabras de la mujer que la recibe:

—Lo sentimos pero no hay pasaje disponible hasta dentro de cuatro meses.

—Usted no tiene idea de lo que me afecta esta noticia. Mi primer nieto nace dentro de ocho semanas.

—Espere— dice la mujer volviendo a revisar la pantalla del ordenador.

—Hay un vuelo, pero el cupo es para dentro de tres semanas. Se trata de un pasajero que ha pospuesto el viaje.

Tampoco me conviene, Beatriz no me quiere antes de dos meses en el aeropuerto de Barajas... no hay que forzar la barrera.

—Gracias— responde Silvia levantándose con rabia de la silla. Como si la inocente dependienta tuviese alguna responsabilidad en su contrariado viaje.

—Siento que soy ese náufrago de las tiras cómicas; el pobre barbudo que logra salvarse encontrando una islita solitaria, se refugia bajo dos palmeras y alrededor solo ve mar— le dice a la empleada.

—Querrá decir, más bien, semejante a una señora barbuda— contesta la joven.

Silvia sonríe con resignación por el chiste sin gracia que acaba de escuchar.

De regreso de la agencia de turismo decide pasar por el tribunal donde cursa la querella contra La Bruja por falsificación de firmas. Ya es conocida en las salas del Juzgado. Cada cierto tiempo se acerca a revisar el expediente a fin de enterarse de las novedades relacionadas con el juicio. El anciano abogado que representa al grupo de propietarios vive aquejado de los achaques propios de su edad y es ella quien se ocupa de hacer las revisiones al expediente para mantenerlo informado del curso de la demanda.

El tribunal del Municipio funciona en un pequeño edificio de tres pisos, situado en una vieja y tranquila calle.

Tanto ha recorrido los espacios que conducen a la taquilla del archivo, que en varias oportunidades llegó a tropezar con el juez y ya se saludan con cordialidad. El letrado está fuera de su despacho, Silvia lo divisa al final del pasillo sirviéndose café de una jarra de vidrio que ha tomado del equipo eléctrico que lo mantiene caliente. Junto a él está el alguacil sosteniendo los dos pocillos rojos y humeantes.

Al tribunal no ha llegado la escasez…

Se aproxima hasta donde están los dos hombres, el juez le ofrece café. Silvia acepta y piensa que el obsequio obedece al deseo de expiar la culpa de saberse favorecido por un privilegio que no tiene el resto de la población. Armándose de audacia y aprovechando lo que le parece un gesto de debilidad del juez, agarrado infraganti, le pregunta por el juicio contra la presidente del condominio de Laguna Plateada. Mientras toma la taza y antes de que responda le comenta la agresión de la que fue víctima por parte de La Bruja y la denuncia que realizó en la Fiscalía.

—Soy absolutamente imparcial. La decisión que yo tome será ajustada a derecho. La sentencia estará lista la próxima semana y no guarda ninguna relación jurídica con las agresiones de las que usted fue víctima. Su caso personal deberá resolverlo la Fiscalía— dice el juez.

—No tengo ninguna duda al respecto y me alegra saber que pronto conoceremos la sentencia. Gracias señor Juez— dice Silvia dando una vuelta para marcharse.

Después en Laguna Plateada se corre la voz de que en el tribunal han recibido llamadas anónimas amenazantes contra el juez y los empleados. Un día las paredes amanecieron con pintas que decían: La justicia es para el pueblo no para los burgueses.

El juez necesita su cargo, tiene mujer e hijos que mantener. La imagen de aquella bella dama con los ojos vendados y la balanza en las manos, representante de la justicia; por efecto de alguna extraña metamorfosis, se ha convertido en una anciana maloliente, desdentada e inválida que ya no controla los esfínteres. Anda en una silla de ruedas desvencijada y carcomida por la herrumbre, lanzando imprecaciones contra los que la requieren. Avisa cuando se acerca con el ruido que hace al desplazarse, semejante al chirrido de esas rejas que se abren de improviso en las casas de las películas de terror.

La justicia en La Isla es un espejismo... el oasis alucinatorio en un arenal.

El juicio breve que podría haber sido resuelto en un período no mayor dos meses se demora más de un año en ser sentenciado. El magistrado cita a los propietarios que supuestamente firmaron los poderes pero nunca se presentan. Nadie quiere involucrarse. Nadie quiere atestiguar. Nadie quiere dejar en evidencia a La Bruja y el acto es declarado desierto. La forma encontrada por el Juez para resolver el caso, que de haberse ajustado a derecho, hubiera terminado con la mujer en la cárcel, es negociar con el abogado defensor. El magistrado declara que la demanda es inadmisible a cambio del compromiso, por parte de Restituta, de renunciar a la presidencia del condominio. Así, La Bruja se libra de la cárcel, la comunidad se libra de la déspota y el abogado se reparte con el juez el metálico que pagan los mismos propietarios en el recibo de condominio, bajo el concepto de «materiales de ferretería».

Se convoca una asamblea donde es elegida otra junta. Los nuevos representantes de la comunidad de propietarios no son partidarios de realizar auditorías, ni de enfrentar a La Bruja con otro pleito. «El miedo es libre» dice el recién nombrado presidente cuando le preguntan si va a emprender averiguaciones.

Algo parecido ocurre con las denuncias por las agresiones sufridas. La Fiscalía es receptiva: Toma declaraciones, imputa a la mujer y remite el caso a los Tribunales Penales. Allí va Silvia puntualmente cuando se fijan las audiencias. Pero cada vez le anuncian que han sido pospuestas. Así pasa el tiempo sin que el tribunal se manifieste. No obstante, la sentencia condenatoria sería dictada un día por mandato divino. Es lo que aseguran los habitantes de Laguna Plateada, haciendo honor al común recurso del que echa mano la gente cuando, habiendo perdido toda credibilidad en la justicia terrena mantiene la esperanza de que surja un evento inesperado, una especie de milagro que ponga las cosas en su lugar.

Caída de la bruja

La muerte del comandante no atenúa la represión militar, ni la censura, ni el desplome de la economía. Lo que sí avanza es la escasez, que ahora incluye también la leche. La fábrica de yogurt casero de Celeste se viene abajo. Para sobrevivir se emplea en uno de los muchos negocios de ropa femenina de alta factura en un centro comercial que los habitantes de la isla solo visitan para distraerse mirando las vidrieras. Sin embargo se mantienen prósperos, gracias a la selecta clientela representada por la nueva oligarquía que gobierna. Esposas de ministros, gobernadores y diputados, así como toda la fauna femenina que detecta el poder llegan a La Isla en aviones particulares para asistir a los casinos y de paso vaciar las tiendas de ropa.

El sobrino de Eleonor, que trabaja en un supermercado, le ha avisado del arribo de una carga de leche que será vendida a partir del medio día, a razón de dos potes por persona. Silvia le ofrece compartir, entre ella y Celeste, el cupo que le corresponde.

Cuando faltan los alimentos la preocupación de la gente es saber dónde encontrarlos. La escasez es una forma de ahorcar el pensamiento. Un plato de lentejas socialistas aporta la energía necesaria para emprender la aventura de conseguir otros productos básicos para la subsistencia. No se puede pensar en otra cosa...

Al regreso de su incursión por varias agencias de viaje, con las que ha contactado previamente vía telefónica, se encuentra con las dos vecinas y otro grupo de personas dispuestas también a salir en busca de leche. La noticia ha corrido igual que reguero de pólvora. Silvia se ve repentinamente retrocediendo en el tiempo, formando parte de una familia ancestral de recolectores y cazadores. De nómadas que, en lugar de recorrer sabanas y bosques, persiguen las presas de carne o pollo en las neveras de los supermercados y recogen de los tramos de los anaqueles los productos que almacenan con mezquindad en las despensas de sus casas. Los grupos le pasan la información solo a quienes consideran amigos, por lo tanto, cada quien se las ingenia para saber dónde encontrar harina, café o leche. Marina no puede faltar en el grupo y ofrece su automóvil para transportar a los que carecen de vehículo. Siendo las doce del día salen en dos autos llenos hacia el supermercado.

En la puerta de salida de Laguna Plateada ven a la antigua presidente del condominio subirse a una pick-up roja. Se sienta al lado del conductor. Detrás, en la parte destechada se acomodan tres jóvenes que traen un radio portátil donde escuchan reggaetón a volumen estridente.

Cuando llegan se encuentran con una modalidad: No permiten la venta dentro de las instalaciones. Los dueños de los establecimientos lo hacen para evitar que, aprovechando la aglomeración, los que están en espera sustraigan productos de los estantes que luego no pagan. Por lo tanto la cola para comprar se hace en las afueras del local donde no existen tejas o cornisas que permitan guarecerse del inclemente y vertical sol de esa hora.

Los vecinos de Laguna Plateada se acomodan en fila, formando una incipiente cola que en poco tiempo ocupará cuadras llenas de gente. Se acercan legiones de hombres y mujeres que se agregarán para obtener el cupo de leche correspondiente.

Ante la perplejidad del grupo que acompaña a Silvia, ven salir del establecimiento a dos hombres empujando una carrucha con varias cajas, atraviesan la calle y detienen el cargamento a la orilla de la acera, detrás de ellos va La Bruja y pasa al lado de los vecinos lanzándoles una mirada retadora. ¿Por qué va escoltando tal cargamento de leche? ¿A quién ha sobornado? Silvia quiere reclamar pero Celeste le pide que no lo haga. Está en juego algo muy valioso y no se sabe cuáles son las influencias de la mujer para hacerse con semejante botín.

Se han escrito miles de páginas sobre las experiencias cercanas a la muerte: Los túneles oscuros con un final luminoso, los ángeles de luz que alumbran el camino, los antepasados que, tomados de la mano, vienen a acompañar al recién llegado a través de paradisíacos prados. Pero vale la pena preguntarse cuál sería la experiencia para el siniestro personaje de La Bruja.

Justo cuando el reloj marca la una de la tarde, cuando los rayos del sol parecen finas llamaradas en aquel pedazo de tierra en medio del Caribe, la fatalidad ha considerado que es el momento oportuno para invitar a la malhechora a dar su buen paseo por el infierno.

Hay revuelo, ruido de sirenas, ahogado por el que hacen dos potentes motocicletas de lujo que vienen perseguidas por una patrulla policial. Los motorizados han atracado a un hombre que recién salía del banco en la avenida Cuatro de Mayo. Restituta está a la orilla de la calle al lado de su valioso tesoro, inmediatamente después de la curva. Grave error... Una de las motos se desvía para eludir el inmenso hueco en la mitad de la calle. Con tan mala suerte para ella, que el vehículo la embiste. *Esta vez el torero es sorprendido sin capote.*

Por el impacto, la grotesca mujer sale volando por los aires, su grasienta humanidad parece una leve pluma, cae boca arriba sobre el asfalto caliente de la calle. El golpe recibido en el cráneo es mortal.

La carga de leche queda intacta por algunos minutos. Pero de inmediato la poblada arremete contra las cajas de cartón y con uñas y dientes intentan romper los fuertes envoltorios y precintos. Un alma caritativa desenfunda su navaja dando fin a la tarea y deja expuestos cuarenta y ochos envases de leche que pasan a mejores manos.

Silvia y sus amigas contemplan perplejas la escena, Eleonor se persigna y reza.

La caza ha sido abundante y hoy el grupo de nómadas celebrarán con un festín.

La atropellada mujer boquea, parece una ballena encallada en la orilla; con la diferencia de que un cetáceo en la arena despierta la compasión de la gente que se vuelca a socorrerlo. En este caso nadie se aproxima. Entre los que están en la cola y que habitan en Laguna Plateada no ocultan su deseo de clavarle una estaca de madera en el pecho; método infalible para liquidar vampiros. Las sandalias plateadas han quedado en el suelo, se le soltaron de los pies por causa del impacto y relumbran por efecto de los rayos del sol. Igual que las lentejuelas del monigote con el que pretendió embrujar a Silvia. La policía detiene a los ladrones y se ocupa del cadáver mientras la cola comienza a moverse y los integrantes ocupan sus lugares respectivos. La pick-up roja viene a recoger a la mujer para transportar la carga, era lo acordado, pero no puede pasar. La calle ha sido cerrada por las autoridades.

¿Qué visiones tendría La Bruja en su viaje hacia la inexistencia? Durante el regreso se discute el tema. Todas quiere dar su opinión y entre la confusión de voces altisonantes, cada quien da su aporte para construir el estrafalario final.

Silvia resume, proyectando la voz y en tono dramático:

—Va montada en un patín sin freno bajando por la pronunciada pendiente que conduce a un desfiladero. A ambos lados, en lugar de vegetación, florecen miles de descomunales falos negros. Siente que pierde el equilibrio y extiende los brazos tratando de asirse a uno de esos miembros, para detener el avance. Pero ante el mínimo intento de contacto se transforman en gases, en inmundas flatulencias, cuyos pútridos olores se mantienen durante el recorrido y el patín continúa su descenso, inexorable, hacia el precipicio que se la tragará.

—En el fondo del abismo se encontrará con su amado comandante— Agrega Celeste.

Mientras todas celebran con risas el estrambótico final de La Bruja, interviene Eleonor:

—Esta es la última brujería de la muerta— dice con solemnidad.

—¿Cuál?—Preguntan a coro las mujeres que van en el auto de Silvia.

—Contagiarles a todas ustedes la vulgaridad y la falta de compasión— responde.

Las mujeres se miran y están de acuerdo en darle la razón a Eleonor.

—Pero no podemos evitar la alegría—sentencia Celeste.

Al llegar a Laguna Plateada el vigilante se sorprende por la exagerada expresión de euforia de aquellos rostros. Para hacer feliz a una mujer basta un pote de leche. Piensa.

Atiende una llamada de su esposa que le da buenas noticias.

«He comprado dos potes de leche en polvo para los niños. Está mucho más cara. No me alcanzó el dinero para el jabón».

También le habla sobre una tragedia que ocurrió mientras hacía la cola. El hombre no entiende, la voz se corta. Su mujer le habla de la muerte de una señora arrollada por un vehículo. La recepción de la señal de voz es defectuosa. Cuelgan. Ya me contará cuando llegue a casa... dice para sí mismo.

Viaje de ida y vuelta

Querida prima:

Estoy a punto de comenzar un vuelo entre el cielo y el mar. No me imagines sentada en el dorso de un alcatraz, es algo menos absurdo y más complicado en este tiempo que me ha tocado vivir. Ayer en la tarde salí de La Isla y me quedé a dormir en un hotelito, cerca del aeropuerto. Debo tomar el avión que sale hoy en la mañana con destino a Madrid. Estoy en el salón de espera, desde donde te escribo. Preferí no hacer el recorrido por la autopista para llegar a La Capital; así evito tener que sortear las barricadas que están en casi todas las calles. Esta vez no son solo los estudiantes los que se han levantado, porque siempre son los jóvenes quienes se sacrifican. Nuestros valientes muchachos caen, sin ninguna clemencia, abatidos por las balas canallas de estos carniceros babeantes de codicia. El pueblo ha vuelto a despertar… Como deseo otra plaga de ranas, igual a las que salieron del Nilo; y que entren al palacio de este nuevo faraón. Por si fuera poco, además de las protestas y los muertos, te diré que mi maleta se extravió en el trayecto de La Isla a La Capital. No llevo mucha ropa, sólo lo indispensable. Ni pensar en comprar las bellezas que exhiben en algunas tiendas, a precios tan elevados que solo las pueden adquirir los turistas y la élite revolucionaria. Lo que sí hice fue encargarle a una artesana un gorrito tejido para el bebé, espero que lo use en invierno.

Eso y diez «fuertes» de plata (¿Te acuerdas de nuestra antigua moneda?) constituyen mi regalo para el recién nacido.

Estoy segura de que el mismo personal militar, en traje de campaña y armado como si estuviera en la guerra del Medio Oriente, está implicado en el robo. Supongo que vieron las monedas al pasar por el escáner de seguridad y decidieron ponerles la mano. La gente que se me acercó coincidió con mis presunciones. Después de tanto reclamar y amenazar con morirme allí mismo, pues fingí que era enferma cardíaca; como en un acto de prestidigitación, apareció la ansiada maleta en perfecto estado. Fue una escena digna de David Copperfield (me refiero al mago archimillonario que hizo desaparecer la Estatua de la Libertad). Según las autoridades «un pasajero se la llevó por equivocación», es mentira mi maleta jamás estuvo en esa correa que gira transportando valijas de todos los tipos, colores y tamaños y alrededor de la cual permanecen boquiabiertos los viajeros, clamando al cielo. Es obvio que la retuvieron al bajarla del avión.

En la dichosa maleta traigo también algunos libros antiguos que eran de mi abuelo, pienso venderlos en una de esas Librerías de Viejo en Madrid.

Y hablando de vejeces, te digo que en estos días he tratado de aliviar el paso del tiempo que se ha adueñado de mi humanidad, sin compasión. Enorme injusticia, como diría mi ego.

En las semanas anteriores a este viaje me he sometido a todo tipo de tratamientos rejuvenecedores: Nada de colocarme «artefactos plásticos» en los labios o pómulos que me vuelvan irreconocible. Recurrí a cremas, tratamientos de hidratación caseros, largas caminatas a la orilla del mar, después que se oculta el maléfico sol. Y hasta soñé con hacerme cortar los centímetros de piel que me sobran en mejillas y cuello pero hubiera tenido que vender la casa para pagar los honorarios de un médico. Aunque te resulte poco creíble lo que me motiva no es la vanidad sino el deseo de evitar que mi nieto me confunda con su bisabuela. Ahora con seriedad: Mi único interés es mantenerme en forma para ayudar a Beatriz con el bebé.

Por último, quiero que sepas que estoy escribiendo una novela. Sí, querida prima, una novela y me la paso adherida a cuanto papel encuentro (el papel también escasea en este vergel en ruinas) tomando notas de lo que me pase por la mente. Nada de casinos ni de pensamientos perturbadores que me desvíen de mi objetivo. Hasta ahora he pensado en tres posibles títulos que me dan vueltas en la cabeza. Cuando te envíe el borrador, que está casi listo, verás el por qué del nombre. Por ahora no escribo poemas, digamos que me he tomado un receso. Sabes que, después de la muerte de Aníbal, la poesía ha sido mi amparo y mi salvación.

Eso sí, el final de mi relato lo cerraré con dos poemas de la protagonista. Imitando, sin ningún disimulo, lo que hizo el narrador con los versos del doctor Yuri Zhivago (salvando las distancias). La idea de escribir me la despertó un texto de Rosa Montero que leí hace tiempo:

«...Todos los humanos somos novelistas...» «...hallar sentido en el relato de una vida es un acto de creación...».

Como puedes ver, la responsabilidad de mi atrevimiento lo tiene Rosa Montero por haber dicho que ser novelista es una condición del Homo sapiens; así nos llaman los científicos a nosotros, pobres mortales, que andamos erguidos sobre dos extremidades, diferenciándonos de nuestros hermanos los monos. No sé si la escritora se imagina cuál puede ser el efecto de sus palabras en los lectores, tal vez termina arrepintiéndose de haberlo dicho. Pero lo que es en mí ha resultado liberador en este caos de bayonetas, asesinatos, bombas lacrimógenas, soledad y prohibiciones... Me ha dado fuerzas para contar esta historia. De allí que me he atrevido a practicar el oficio de escribir, como te dije, una novela. La experiencia oscila entre el placer y la tortura, hasta el límite de lo soportable. La impotencia que sentí a merced de La Bruja ha sido nada comparada con los bloqueos de creatividad que intento vencer escuchando música y más música; aromatizada con el humo de los palillos de incienso que compro en las quincallas chinas. Ni siquiera puedo consolarme con el adictivo y estimulante café porque no hay.

Escucha por los parlantes la llamada de su vuelo. Cierra la laptop y se apresura a formar la cola de la última revisión antes de abordar. Dentro del avión le corresponde un asiento de doble fila al lado de la ventana. Coloca su equipaje de mano en el compartimiento correspondiente. Después de amarrarse el cinturón suelta los músculos, y trata de relajarse. Ve la hora e imagina a su amiga frente a una tragamonedas, ese día no es el turno de Alejandro. Hace presión con ambas manos sobre las mejillas con la ilusión de retener en su sitio los cálidos besos de Celeste Y Eleonor al despedirla en el aeropuerto de La Isla. Imitando lo que había hecho Aníbal aquella noche cuando le dio calor a su rostro helado, después de haber dejado a Álvaro moribundo en la sala de El Hospital.

Silvia recuerda las palabras de despedida de Marina «espero que tengas suerte en los casinos de Madrid». Se apoya en el respaldo del asiento con los ojos cerrados, evoca la imagen de la cartomántica. Saca la libreta y el bolígrafo que ha comprado en la tiendita del aeropuerto.

El sueño con la mujer que me leía las cartas es un augurio: La niña, el parto, los pájaros, el olor a sangre, la puerta...

Debo tomar nota, no sé si cuando aterrice pueda recordarlo. Así es la inspiración: Aparece y luego se va. Es resbaladiza, se asemeja al azogue. La palabra pensada quizás no vuelva nunca más a la memoria de la misma manera y en el contexto en que fue concebida. Los símbolos oníricos no son distintos de los míticos, religiosos, o primitivos. La vida está llena de ellos y pocas veces nos damos cuenta...La puerta...Los siete pájaros blancos...

Para Silvia las imágenes del sueño son la metáfora de una realidad que ocurre o se está gestando. La puerta, libre de clausura, es el símbolo femenino que protege el recipiente. Puede abrirse para algo tan nimio como dejar pasar la leve brisa al interior de la casa o tan trascendental como parir una nueva vida.

Presiente, cuando piensa en el país, que más allá de la puerta se encuentra el muro que se ha levantado bajo engaño, alrededor de todos, piedra a piedra, de manera subrepticia, para dar la idea de hogar protector pero que su significado real es encierro y supresión del pensamiento.

Será necesario provocar la implosión de esa muralla. Su derrumbe dejará al descubierto, después de los escombros, el umbral de algo nuevo. Será el parto del que nacerá un país redimido del oscurantismo del siglo veintiuno... ¿Los siete pájaros blancos chapoteando...?

Abstraída en sus anotaciones, siente que alguien le toca el hombro y una voz femenina le llama la atención. Es la azafata.

—Disculpe señora pero el asiento adyacente al suyo le fue asignado a una niña que viaja con su madre y ellas quieren sentarse juntas. ¿Sería tan amable de cederle su butaca a la mamá? Le ofrezco otro en aquella fila de cuatro, que está ocupada por una familia de tres personas.

—No tengo problemas— responde Silvia.

Se sienta al lado de la joven que se acaba de graduar de médico y va a hacer su post grado a España con intenciones de no regresar. Viaja acompañada de sus padres.

Continúa con las anotaciones.

Al llegar a Madrid conoce al marido de Beatriz, Francisco Hurtado, quien la espera en el aeropuerto de Barajas. Se han enviado fotografías a través del correo y también han acordado la vestimenta que llevarían para reconocerse. Ya su hija ha sido dada de alta. Dio a luz un hermosísimo niño al que bautiza como Álvaro Francisco Hurtado Angeli.

Cuando se encuentran Silvia no puede evitar las lágrimas.

—Sin dramas—dice Beatriz limpiándole el rostro.

—¿A quién se parece?— Pregunta.

—Los recién nacidos no se parecen a nadie, qué preguntas haces, mamá.

Eso de que la mujer, cuando pare y siente lo que se ama a un hijo, comienza experimentar mayor admiración y respeto hacia su propia madre, no es más que fábula.

La simbiosis madre-hijo, el contacto visual entre ambos durante el amamantamiento, es la máxima expresión de la belleza. El bebé se deleita succionando y Beatriz no le quita la vista. En su rostro se refleja la delicia de satisfacer la necesidad del hijo. Hay que forzarlo para cambiar de seno. Se aferra y cuando logran separarlo, dibuja un círculo con los labios, proyectados y entreabiertos. La diminuta boca conserva la forma donde encajará el otro pezón. Un fino hilillo blanco se le desliza por las comisuras. Para Silvia la escena es de éxtasis. Le resta importancia a la escasa amabilidad de Beatriz para con ella. Toda la energía de su hija está dirigida a la protección del pequeño.

Es él quien la requiere. Igual hice yo en mi momento.

Treinta días de adiestramiento en la atención del bebé son suficientes para la novata madre: El baño, la alimentación, los gases, los pañales... Durante el mes que pasa en España casi no sale del piso de Beatriz en el barrio de Chamberí. De vez en cuando recorre sus amplias calles disfrutando del despejado y brillante cielo de Madrid. Largas horas de conversación en el Parque El Retiro con su yerno, un sábado en la mañana, le permite hacerse la idea de que Beatriz ha realizado una buena elección. Tiene la oportunidad de volver a conversar con Francisco en el aeropuerto mientras esperan el avión de regreso.

Se embarca con la satisfacción de saber que Beatriz está en buenas manos, que todo ha valido la pena, que ahora es cuando comenzará a transitar caminos empedrados, pero está preparada para ejercer la difícil y noble función de ser madre. Después de nueve horas de vuelo, aterriza en el aeropuerto de La Capital. Debe esperar dos más para embarcarse con destino a La Isla.

Se dirige a la cafetería del aeropuerto. Pide una arepa de pollo, le dicen que solo hay pastelitos de queso y jugos de naranja y lechosa. No hay café. Al pagar se siente sacudida, en un mes, el precio se ha multiplicado por cinco y la escasez ha alcanzado las ventas de comida preparada. Distrae la espera tomando notas hasta que aborda el vuelo a La Isla.

A los treinta y cinco minutos avisan la llegada. Desde el aire divisa el Caribe y más allá la tierra de color ocre intenso casi anaranjado. La penetrante luz del trópico le sonríe. Recuerda la vez que compartió el mismo paisaje con Aníbal.

Al bajar de las escalerillas y caminar hacia la recepción, divisa el mechón blanco de Marina.

Dándole el respectivo abrazo de bienvenida, la amiga le dice:

—¿Fuiste a los casinos?

—Ni pensarlo. Estuve casi todo el tiempo acompañando a Beatriz.

—¿Vendiste los libros antiguos de tu abuelo?

—No, los dejé para que el esposo de mi hija lo haga cuando pueda.

—Viajaste a Madrid a prestar un servicio gratis a domicilio... Te doy una buena noticia: el viejo Rosendo vendió el apartamento y se fue.

Silvia no responde, su pensamiento está en otro lugar.

Creo que he cerrado otro ciclo.

En el trayecto del aeropuerto a Laguna Plateada, Marina le cuenta sobre sus incursiones en los casinos y sus encuentros con Alejandro.

—Te dejo, descansar. Voy a jugar un rato— se despide.

El ascensor remonta como siempre, dando tumbos. Al llegar a su casa, Silvia prepara una infusión de jengibre. A sorbos lentos va vaciando la taza. Sin deshacer la maleta, se sienta frente al ordenador y comienza a teclear frenéticamente. Repica el teléfono, es Beatriz, quiere saber cómo le fue en el viaje. Piensa en llamar a Celeste y Eleonor para saludarlas, pero no lo hace. Escribir una novela es tarea ardua.

La fugacidad de la vida es la máxima verdad que nadie quiere aceptar, y que pretendemos evadir de la conciencia. La mayoría de nosotros solemos olvidar que compartimos la escala zoológica con todas las especies, animales...y que... como ellos somos: No nos detenemos a observar la frontera que nos separa de la muerte: La respiración, la sagrada respiración; alabada por las filosofías orientales, y de la que Crisantemo me eneñó su poder. Comparándolo con el tiempo, el acto de tomar aire en este instante, es el presente; al expirar deja de ser actualidad para convertirse en inmutable pasado. El futuro es la próxima inspiración que; mientras ocurre, ya es otro presente distinto al anterior. La madurez llega con el anuncio de que el futuro se aproxima a su final. Con todo y eso, mientras queda aliento, nos está permitido soñar. Los sueños logran incubarse a partir de las situaciones menos esperadas, de los sucesos que nunca antes imaginamos vivir:

Las pérdidas, las separaciones, el miedo, la tiranía, el desamparo, la escasez... la cercanía del mar...los diálogos con el agua...

Hoy culminaré mi sueño de contar la historia de esta prolongada decadencia... Quiero adelantarme al próximo corte de luz.

¿Me avisan algo los siete pájaros blancos chapoteando en el estanque?

Sí,

las estrellas de mi ninguneada bandera negándose a sucumbir.

Dos poemas de Silvia Montes

El confin del sueño

Cuando sacaste las cartas de la envejecida caja
sentí miedo de revivir la imagen
Una mujer   Una casa
Comencé a recorrer la circunferencia
girando sobre mi propio eje
En cada vuelta aumentaba el radio de desplazamiento
mientras oía el grito del suelo bajo los pies
Y   vi su casa
la misma que retraté en mi soñar
Los pájaros chapoteando en el estanque
de la entrada
volaron espantados al percibir mi presencia
En el aire un olor a sangre de parto
         augurio de lo porvenir
Con las manos en alto la mujer me ofreció una niña
A punto de perder el equilibrio me tomé
con fuerza entre los brazos
En ese momento pregunté dónde
quedaba el despertar
- todos somos una plantilla
de nuestros propios sueños-
Lo supe
cuando retiré de la puerta
la hoja blanca donde había escrito allá

en el entonces

         la palabra

               «clausura»

Ciudades nocturnas

Llueve noche
densas sombras rebosan los espacios
Es de luna nueva la estación
entre el cielo y la mirada
del Arcángel

Necesario será
alumbrar las plazas con bengalas
¿Arderán los árboles del parque?

Lozas de cementerios
descansan en las calles
escindidas

Duermen los pájaros de párpados abiertos
Sabiendo del hurto de los nidos
ayunan trinos sus gargantas
fulminantes

Mientras
repican huérfanas campanas
en el sordo tímpano del mundo.

La poesía y todo lo que la acompaña, incluido el que la hace,
están obligados a perseverar, así sea en medio de los mayores
desastres. Libro de las poéticas, Juan Calzadilla.

FIN

Sobre la autora

 Yraida Pérez Navarro. Venezolana, Bióloga. Incursionó en la narrativa con cuatro ficciones, publicadas en la compilación Amarrar El Sol. Escuela de Escritores S.L Madrid.2012. Participó en el concurso de relatos de la Sociedad Española de Neuropsiquiatría resultando finalista con El Libro del Bebé. A.E.N. Madrid. 2013. Esta es su primera novela.

CPSIA information can be obtained at www.ICGtesting.com
Printed in the USA
LVOW11s1054290415

436558LV00001B/102/P